無理ゲー社会

橘 玲
Tachibana Akira

小学館新書

はじめに「苦しまずに自殺する権利」を求める若者たち

ある政治家がＳＮＳで「あなたの不安を教えてください」と訊いたところ、「早く死にたい」「生きる意味がわからない」「苦しまずに自殺する権利を法制化してほしい」との要望が殺到した。これはディストピア小説ではない。日本の話だ。

「年収は２００万に届かないくらいです。家賃、光熱費、食費で手一杯で、住民税や国保、年金が払えません。市役所に相談に行っても、役所の人に『女性なら稼ぎ方ありますよね、こちらから具体的には言いませんけど』と、風俗やれと示唆するようなことまで言われて。以前鬱《うつ》を発症し、個人事業主の仕事とは別にアルバイトをすることは難しく。もう惨めで自分には何もなくて、実家も経済状況が厳しく頼ることもできない、はやく自分なんて消えてしまいたいけど親がいるうちの自死は親がかわいそう。ただただ苦しい毎日です」（千葉県・30代）

「非正規雇用労働者、いわゆる派遣社員です。月収手取り14万〜15万円で、30代後半です。日々生きるのがやっとの収入のなか、自身も病気をし、両親も歳をとってきました。誰かが倒れたら、手術代や入院費すら満足に支払えないでしょう。とにかく貧しいです。このまま非正規で一生過ごすのかと思うと気が気ではありません。私たちの世代は年金すら満足にもらえず、非正規雇用として、バブルの恩恵を受けた者たちの煽《あお》りをくらって生きつづけなければならないのだろうか。失うものがないので、なにをしてもよいような京都アニメーション事件の犯人の気持ちは、わからないではない。自分の生きている世界に絶望したら、みなあのような行動をとると思う。いまの政治や社会が、社会的弱者を限界まで追いつめていると思う。未来に希望がもてない」（静岡県・30代）

「母になりたいとは思っても、産んで育てて大学まで出すという資産のイメージがどうやっても立ちません。今の20代30代でひとり暮らしをしていると右から左の収支で貯金も出来ず、ここに父母を支えるなんてどうやっても無理です。正社員で働いていても先が見通せません。真面目に勉強して卒業して就職したら報われる時代の親に育てられたので、現代はそうはいかないんだよ、も通じません」（東京都・30代）
「自分の世代（昭和50年代生まれ）は就職氷河期を経験して、まともな職に就けないひとが多かった。最近、同窓生がすでに知るかぎり3名自殺している。原因まではわからないが、一人は仕事を辞め、将来の見立てができずに死ぬのを選んだと聞いた。われわれ世代は、こういうひとが多いと思う。自分も同じようになると感じている」（東京都・40代）
「90歳の祖母を60歳の母といっしょに介護している30歳の独身女性です。将来、父が定年になっても退職金はなく、貯蓄もありません。両親の年金も少ないうえに、自分は年収300万で月収手取り20万です。この年収で、税金が年々上がっていくなかで、両親を介護していけるか不安です。未来に絶望しかなく、どうせ年金受給の年齢すらも延ばされるのなら、60歳くらいで両親ともども命を絶ちたいと本気で考えています」（兵庫県・30代）
「正直、将来に対する不安が多様で大きすぎて、早く死にたいと毎日考えています。いまの社会では結婚して子どもを産みたいとも思えません。安楽死の制度化ばかりを望んでい

ます」（埼玉県・20代）

「子どもにお金を使い（1人あたり大学まで約2000万）、親にお金を使い（施設2名3000万）、老後に自身が生きる蓄えはできるでしょうか。自分の子に迷惑をかけ、なにも生産できず、死ぬのを待つだけなら、条件付きの安楽死を合法化してほしいです」（神奈川県・20代）

「早く安楽死の合法化と自由に自殺できる制度がほしい」（埼玉県・30代）

「安楽死制度を認めてほしい。早く死にたいと口にする自分も含め、友人たちには未来を明るく想像できません」（大阪府・20代）

「自分の寿命が決められればよいのにと、いつも思っています。もしそれが可能ならば、将来のためにと無理な節制をせずに済むし、歳を重ねることで発病率が上がる病気への不安が軽減するのにと。これは極端な話ですが、私が思っていることは、死にまつわる制度についてもっと前向きに検討してほしいということです。こういった話を持ち出すと、生きるのがつらいと思われがちですが、現在ホワイト企業で働いており、私生活も充実しているため、とくに自死の願望があるわけではないです。ただ、死についての話題がタブーのように触れてはいけないことのようであることに危機感を覚えています。私は、自分の人生は自分で決めたいです」（神奈川県・20代）

ここで紹介したのは、参議院自民党の「不安に寄り添う政治のあり方勉強会」のために、2020年1月（コロナ禍以前）に山田太郎参議院議員がSNSで募集した不安についての投稿の一部だ（趣旨は変えず若干の修正を行なった）。たまたま勉強会に講師として招かれたことで、このアンケートのことを知った。

5日間の実施期間にコメントしたのは1741名で、20代（34・3％）、30代（32・2％）、40代（23・3％）が中心だが、10代（4・3％）、50代（5・4％）も一定数いる。アンケート結果を集計するともっとも多いのは経済的な不安で、20代から「年金・社会保障」に、30代から「安楽死・尊厳死」に、40代から「老後・介護・孤独死」に不安を感じはじめていることがわかる。なかでも「安楽死・尊厳死」は、不治の病を宣告されたときの死の決定権ではなく、「自殺の権利」を求めるものがほとんどだった。

これらのコメントを読んで感じたのは、彼ら／彼女たちが直面しているのがたんなる

「生きづらさ」ではなく、もっと暴力的で対処不能な現実だということだ。

ゲームマニアのあいだでは、攻略がきわめて困難なゲームは「無理ゲー」と呼ばれる。だとしたらいま、多くのひとたちが「無理ゲー」に放り込まれてしまったかのように感じているのではないだろうか。


「無理ゲー」とはなにかの話を始める前に、「公平（機会平等）」と「平等（結果平等）」を定義しておこう。この誤用・誤解が、格差についての議論をいたずらに混乱させているからだ。ここではそれを50メートル競走で説明してみよう。

「公平」とは、子どもたちが全員同じスタートラインに立ち、同時に走り始めることだ。しかし足の速さにはちがいがあるので、順位がついて結果は「平等」にはならない。

それに対して、足の遅い子どもを前から、速い子どもを後ろからスタートさせて全員が同時にゴールすれば結果は「平等」になるが、「公平」ではなくなる。

ここからわかるように、能力（足の速さ）に差がある場合、「公平」と「平等」は原理的に両立しない。

このようなとき、5歳の子どもであっても、（足の速い子が1等になる）不平等を容認するのに対し、（足の遅い子が優遇される）不公平は「ずるい」と感じることがわかっている。ひとびとが理不尽だと思うのは「不平等」ではなく「不公平」なのだ。

富の分布の不均衡が社会的な混乱の原因なら、20兆円を超える資産をもつイーロン・マスクは世界じゅうから罵詈雑言《ばりぞうごん》を浴びているはずだが、5700万人を超えるツイッターのフォロワーの反応は圧倒的に賞賛と応援だ。これはひとびとが、「グローバル資本主義」が生み出すある種の不平等を受け入れていることを示している。

だったら、格差のなにが問題なのか。

ひとつは、競争の条件が公平ではないと感じているひとがいることだ。

アメリカでは、奴隷制の負の遺産によって黒人に不公平な機会しか与えられていないとされる一方で、それを是正するためのアファーマティブアクション（積極的差別是正措置）によって、白人労働者が不公平な競争を強いられていると主張するひとたちもいる。両者の意見は折り合わないだろうが、自分たちが不公平の「犠牲者」ということでは一致している。

もうひとつは、競争の結果は受け入れるとしても、自分がその競争をさせられるのは理不尽だと考えるひとが声を上げはじめたことだ。

私がテニスで錦織圭と、将棋で藤井聡太と競えば、100回やって100回とも負けるだろう。私はその結果を不公平とは思わないが、自らの意思に反してそのようなゲームを強いられたことはとてつもなく理不尽だと感じるにちがいない。

このようにして、右からも左からも、自分たちは攻略不可能なゲーム（無理ゲー）に同意なく参加させられているとの不満が噴出するようになった。「ディープステイト（闇の政府）」が世界を支配しているというQアノンの陰謀論も、資本主義の「システム」がひとびとを搾取・統制しているという「レフト（左翼）」や「プログレッシブ（進歩派）」の主張も、あるいは「ウォール街を占拠せよ」「ジレジョーヌ（黄色いベスト）運動」「BLM（ブラック・ライヴズ・マター）」など欧米で頻発する抗議行動も、その現代的な亜種として理解できるだろう。

本書は、この「理不尽なゲーム」の構造を解き明かす試みだ。そこでは、大ヒットした2本のアニメ『君の名は。』と『天気の子』が最初の道案内をしてくれるだろう。

無理ゲー社会　目次

PART 1

「自分らしく生きる」という呪い

1 『君の名は。』と特攻

2016年に公開され大ヒットしたアニメ『君の名は。』(新海誠監督)の物語は、東京で暮らす男子高校生・瀧《たき》と、中部地方の山村で暮らす女子高生・三葉《みつは》の心と身体が入れ替わるところから始まる。最初は驚いた2人だが、やがてノートで互いの近況をやり取りするようになる。そんなある日、突然、入れ替わりが途絶えてしまう。

三葉の身を案じた瀧は、おぼろげな記憶を頼りに山奥にある糸守町にたどり着く。三葉はたしかにそこで暮らしていたが、3年前に巨大な隕石の直撃を受けたことで町はクレーターと化し、住民500人以上が犠牲になっていた。瀧は3年前の三葉とつながっていたのだ――。

知覧のスピリチュアル体験

鹿児島県の薩摩半島中部に位置する知覧町（現在は南九州市）には、陸軍特別攻撃隊の飛行基地があった。太平洋戦争末期、多くの若者たちがここで帰還することのない離陸の時を待っていた。知覧特攻平和会館には、そんな若者たちの遺品が集められている。

社会学者の井上義和は、特攻を描いて累計500万部を超える記録的ベストセラーとなった『永遠の0』（百田尚樹）現象について調べていた2014年、不思議な新聞記事と出会った。暴力や喫煙など非行が絶えない大阪の中学校で特攻隊をテーマにした劇を3年生が演じたところ、「教師も親も泣いた」という大きな反響があり、下級生も含め、生徒たちの生活態度が一変したのだという[1]。

この記事に興味をもった井上がネットで特攻の話題を検索すると、「就活が上手くいかず悩んでいたが、知覧に行ってから人生に前向きになれた」「離婚寸前だった母親が、知覧に行ってからいいお母さんになった」などのエピソードが次々と見つかった。いつのまにか知覧は一種の「パワースポット」になっていたのだ。

この奇妙な現象は、「右傾化」や「軍国主義化」では説明できないと井上はいう。知覧には2000年代になって、プロ野球選手やラグビーU-20代表チーム、全日本女子バレーボールチームなどが訪れているが、その目的は平和の大切さを心に刻み、野球やラグビー、バレーができる幸せに「感謝」することだった。

それより驚いたのは、『人生に迷ったら知覧に行け』や、この地で社員研修を行なう企業のための『知覧に行ける人の心得』などの自己啓発本が出版され、一部で強い支持を受けていたことだ。

なにがひとびとを引き寄せるのか。それは、『人生に迷ったら知覧に行け』を書いた永松茂久《しげひさ》の体験が教えてくれる。

大分県の中津でタコ焼き屋を開業したものの行商生活に疲弊していた永松は、「シゲ、道に迷ったら知覧に行け。必ず何かが見えてくる」という祖父の言葉をふと思い出す。その後、経営するレストランが軌道に乗ったころ、社員旅行で知覧を訪れた永松は、特攻平和会館の入口近くの桜並木の下で隊員たちの遺書をまとめた本を読んでいた。「後に続く生き残った青年が、戦争のない平和で、豊かな、世界から尊敬される、立派な文化国家を再建してくれる事を信じて、茂は、たくましく死んでいきます」という（自分の名前と一文字が重なる）若者の手紙を読んだとき、電流が走ったという。[2]

僕の元に一つの「たすき」が来たように感じました。（略）今の僕にできること、それは自分自身がその先輩たちに恥じないような生き方をすること。後に続く青年たちにその背中を見せていくこと、そしてその意志を後世に残していくことだと気がつきました。

これは、キリスト教原理主義者が「回心」「新生」と呼ぶ体験と同じだ。神の教えに背いている自らの罪と向き合ったとき、神が立ち現われて救済の道を指し示す。この強烈な信仰体験が人生を根底から変え、「神の子ども」へと生まれ変わる。

「自己啓発としての特攻」の特徴は、歴史の脱文脈化だ。そこでは、日本の大陸侵略から始まる大東亜戦争の経緯や、特攻志願が愛国心の発露ではなく「同調圧力（断れば家族が村八分にされる）」によるものだったという史実はなんの興味ももたれない。重要なのは、70年以上前に特攻で死んでいった、自分と同世代の青年たちの「純粋な魂」を感じることなのだ。

これを井上は、「記憶の継承から遺志の継承へ」と呼ぶ。魂の「たすき」を渡されたというスピリチュアルな体験が回心を引き起こし、「新しい自分」へと生まれ変わるのだ。

これで、『君の名は。』と特攻がどう関係するかがわかっただろうか。それはどちらも、「時空を超えて魂がつながる物語」なのだ。

世界を救うより「自分らしく」生きる

『天気の子』は、新海誠監督が『君の名は。』の3年後（2019年）に公開したアニメ映画だ。この作品では、離島から東京に家出してきた高校1年の少年、帆高《ほだか》が、たまたま拾われた零細編集プロダクションで「100％の晴れ女」の都市伝説を取材していたとき、陽菜《ひな》という少女と知り合う。その夏、関東地方は異常気象によって長雨が続いていたが、陽菜は不思議な能力によって、雲の合間に青空をつくることができた——という物語だ。

2016年7月、神奈川県相模原の福祉施設「津久井やまゆり園」で、元施設職員の男（当時26歳）が施設に侵入し、所持していた刃物で入所者19人を刺殺するという衝撃的な事件が起きた。男は逮捕後、接見したメディアに対して「命を無条件で救うことが人の幸せを増やすとは考えられない」「重度・重複障害者を育てることは莫大なお金・時間を失うことにつながる」などと主張した。

この事件の後、高等学校で哲学の出張授業をしている女性から、「偏差値の高い学校の生徒たちはみんなあの事件の犯人に共感している」という話を聞いた。それからずっと、なぜそんなことになるのか考えていた。最近の若者たちはナチスの優生学を支持するようになったのだろうか。

『天気の子』の最後、雲の上に囚われていた陽菜を救い出そうとした帆高は、自分が地上に戻ればふたたび世界は雨のなかに閉じ込められてしまうという陽菜に向かって、「青空よりも俺は陽菜がいい！　天気なんて狂ったままでいいんだ！」と叫ぶ。

これは、世界を救うよりも「自分らしく」生きることを選ぶという宣言だろう。この場面を観たとき、いまの高校生たちが同じように考えているとしたら、やまゆり園事件への反応が理解できることに気づいた。

施設に侵入した男は、職員の両手首を結束バンドで縛り上げ、順番に部屋を連れまわし、入居者が「しゃべれるのか」をいちいち確認した。職員が「しゃべれます」と答えた部屋は素通りし、「しゃべれません」と答えると包丁を振り下ろした。犯行中、「こいつら、生きていてもしょうがない」とつぶやくこともあった。[3]

男は、「自分らしく生きる」可能性がないと見なした入居者だけを標的にしたのだ。

世界はますます「リベラル」になっている

私はこれまで繰り返し、「日本も世界もリベラル化している」と述べてきた。ここでいう「リベラル」は政治イデオロギーのことではなく、「自分の人生は自分で決める」「すべてのひとが〝自分らしく生きられる〟社会を目指すべきだ」という価値観のことだ。

「そんなの当たり前じゃないか」と思うかもしれないが、これは1960年代にアメリカ西海岸（ヒッピームーヴメント）で始まり、その後、パンデミックのように世界じゅうに広がっていったきわめて奇矯な考え方だ。数百万年の人類の歴史のなかで、ほとんどのひとは「自由に生きる」などという奇妙奇天烈なことを想像したことすらなかっただろう。

心理学者のアブラハム・マズローは、20世紀初頭の心理学を席捲していた精神分析学と行動主義に飽き足らない思いを抱いていた。ナチスのホロコーストに衝撃を受けたこともあって（マズローはロシア系ユダヤ人の移民二世だった）、統合失調症やうつ病の原因を探ったり、ラットを擬人化して刺激と反応の関係を調べるのではなく、主体性や創造性のような人間性（ヒューマニティ）の肯定的な側面をこそ研究すべきだと唱え、「人間性心理学」を創始した。有名な「欲求の5段階説」では、人間は「生理的欲求」や「安全の欲求」などの基本的欲求が満たされると、「社会的欲求（所属と愛の欲求）」「承認欲求」「自己実現の欲求」などのより高次の欲求を求めるようになるとする。

アメリカの政治学者ロナルド・イングルハートは、マズローの「5段階説」が正しいとしたら、「社会がゆたかになるにつれて生存や安全などの基本的欲求が満たされるのだから、ひとびとの価値観は物質主義から脱物質主義に変化していくはずだ」と考え、大規模な国際調査を実施してこの仮説を検証しようとした。これが「世界価値観調査」で、これまで1981年から2020年まで計7回行なわれている。

この調査では、国ごとの文化的背景によるちがいはあるものの、1人あたりGDP（国内総生産）が増えるにつれて、伝統的価値から非宗教的・理性的価値へと向かう「世俗化」と、生存価値から自己表現価値へと向かう「自分らしさ化」の傾向がはっきりと見られた。[4]——興味深いことに、日本人はこの調査で一貫して、「世界でもっとも〝世俗的〟な国民」だということが示されている。[5]

貧しい国は伝統的価値と生存価値が高く、ゆたかになると非宗教的・理性的価値と自己表現価値の比重が上がる。それだけでなく調査時期ごとに、物質主義から脱物質主義へのシフトが進んでいることもわかった。マズローの「欲求の5段階説」については科学的な厳密さに欠けるとの批判があるが、世界価値観調査はそれが大枠として正しいことを証明した。これが本書でいう「リベラル化の潮流」だ。

「世俗化」や「自分らしさ化」がリベラルと結びつくのは、「わたしが自由に生きるのなら、あなたにも自由に生きる権利がある」からだ。この「自由の普遍性」がリベラリズム（自由主義）の根拠になる。

こうしてわたしたちは、すべてのひとが「自分らしく」生きるべきだとするリベラルな社会に暮らすことになった。これはもちろん素晴らしいことだが、光があれば闇もあるように、この理想にはどこか不吉なところがある。

リベラルな社会で「自分らしく生きられない」ひとはいったいどうすればいいのか？ やまゆり園事件は、この重い問いをわたしたちに突きつけることになった。

「夢の洪水」に溺れかけている若者たち

2021年2月25日、日本経済新聞の見開き全面広告で「ウソつきをヒーローにしよう」という「April Dream」なるプロジェクトが告知された。エイプリル・フールの「ウソ」をやめて、4月1日はみんなが「夢」を発信するヒーローになり、小さな希望をつくってみるのだという。「日本で一番ウソつきが多い日を、日本で一番夢を語るヒーローが多い日にできたら、明日が、そう、未来がもっと叶えたいことでいっぱいになれる」のだそうだ。

このプロジェクトはこれが2回目で、2020年には200社を超える企業が「夢のプレスリリース」を発信したという。もちろん私は、この〝善意〟を批判する気は毛頭ない。不思議に思うのは、すでに日本には「夢」があふれているのに、これ以上「夢」が必要なのか、ということだ。

大学で学生のキャリア支援を行なう高部大問《たかべだいもん》は、若者たちが「夢」に押しつぶされていく実態を「ドリーム・ハラスメント」と名づけた。[6]

大学生は就職活動で、「あなたの夢を教えてください」「10年後どうなっていたいですか」などと必ず訊かれる。高部のところには、「夢なんて無いんですけど、どう答えればいいんですか」という相談が次々とやってくるという。

これは大学生だけのことではない。高校でキャリア教育の講演をしたとき、ある生徒は「夢を持つことを強制されている」と高部に訴えた。「小学生のときに夢を具体的に決めるように強制されて以来、将来の夢という言葉が嫌い」「夢が無いことがそんなにダメなのか」「夢に囚われずに生きたい」というのが若者たちの本音だという。これはいわば「夢のファシズム」で、現代の若者は、大人や社会が「夢をもたせよう」とすることをハラスメント（虐待）と感じているのだ。

なぜこれほど日本の社会に「夢」が氾濫するのか。高部はそれを「大人の都合」だという。

かつての日本には、「学校で真面目に勉強すればよい大学に入って、一流企業に就職できる」「よい成績で高校を卒業すればちゃんとした会社で働ける」という暗黙の合意があり、親や教師がいちいちいわなくても、生徒たちは学校から社会へのルートを自然に受け入れていた。

だがいまでは、とりわけ中堅以下の学校で、こうした「きれいごと」で生徒たちに「勉強する（あるいは学校に通う）モチベーション」を与えることが困難になってきた。そこで窮余の一策として、「夢を実現するためにはいま頑張らなければならない」という夢至上主義が蔓延することになったのだという。

同じように、法政大学キャリアデザイン学部教授の児美川孝一郎《こみかわこういちろう》は、「夢を脅迫する社会」になった理由を、フリーターやニートの増加を若者たちの「自己責任」にしたい大人たちが、「「夢」を持たせれば、それが働く意欲の回復につながる。そうすれば、就職難や非正規雇用の問題も解決に向かうと夢想した」からだという。[7]

いずれも卓見だが、より本質的には、誰もが「自分らしく」生きなければならないリベラルな社会では、夢は一人ひとりがもつしかないからではないだろうか。家庭や共同体などが強制する目標は、「自分らしさ」を抑圧するのだ。

このようにして、すべてのひとが「自分だけの（他人とは異なる）」夢をもつべきだとされるようになった。だとすれば日本には1億の、世界には78億の夢があることになる。若者たちが「夢の洪水」に溺れかけているのも無理はない。

わたしたちは「ばらばら」になっていく

19世紀末のドイツに生まれた精神科医のフレデリック・パールズは、精神分析学を学んだもののフロイトと訣別し、過去ではない現在（いまここ）を重視するゲシュタルト心理学を創始した。第二次世界大戦を機にアメリカに渡ったパールズは、精力的にゲシュタルト療法のワークショップを行ない、東部や西海岸のエリートを中心に熱烈な信奉者を獲得した。これがのちの「自己啓発」ブームへとつながっていく。

パールズは自身のワークショップで、「ゲシュタルトの祈り」という詩を読み上げた。

わたしはわたしの人生を生き、あなたはあなたの人生を生きる。

わたしはあなたの期待にこたえるために生きているのではないし、あなたもわたしの期待にこたえるために生きているのではない。

わたしはわたし。あなたはあなた。

もし縁があって、わたしたちが互いに出会えるならそれは素晴らしいことだ。

しかし出会えないのであれば、それも仕方のないことだ。


この〝祈り〟には「リベラル」の価値観が凝縮されている。わたしが自由に生き、あなたも自由に生きるのなら、2人の人生はつかの間交錯するかもしれないが、いずれは離れていくだろう。自由な人生のなかでそれぞれが選択したことの結果は、一人ひとりが受け止めるほかはない。誰もが「自分らしく」生きる社会では、社会のつながりは弱くなり、わたしたちは「ばらばら」になっていくのだ。

ここからわかるのは、「自由」と「責任」がコインの裏表の関係にあることだ。ひとは自由な選択のみに責任を負うべきであり、責任のないところに自由はない。日本をはじめ世界のほとんどの国の刑法では、自由意志によって（故意か故意でないかで）違法行為の量刑を決めている。

日本では「リベラル」を自称するひとたちが自己責任論を蛇蝎《だかつ》のごとく嫌っているが、これは奇妙な話だ。自由な選択に責任をとらなくてもいいのなら、それは「好き勝手」で、みんながそんなことをすれば社会秩序はたちまち崩壊するだろう。それを防ごうと個人の選択に国家が介入するなら、これは「全体主義（ファシズム）」以外のなにものでもない。自由と自己責任はリベラルな社会の基盤であり、それを分離しようとすれば、このいずれかの道を進むしかない。

アメリカ人の4人に1人は親友がいない

社会調査では、ネームジェネレーターという手法でひとびとの「つながり」を計測している。一般的なのは「あなたが重要なことを話したり、悩みを相談するひと」を挙げてもらう手法で、アメリカでは1985年から2004年の20年間で「重要なことを話す」親友の数が平均して3人から2人に減少し、ゼロという回答が8％から23％に上昇した。アメリカ人のほぼ4人に1人は親友がいない。[8]

世界価値観調査では、「あなたには、日頃から親しく付き合っている方が何人くらいいますか。ただし、同居のご家族やこの1年間で一度も連絡を取り合っていない人は除いてお答えください」という質問で日本社会の「つながり」を調べているが、2005年から10年にかけての5年間で、「21人以上」と親しくつき合っているという最大カテゴリが15％から8％に減る一方で、誰とも親しくつき合っていないという回答は4％から7％に上昇した。[9]

2021年版（コロナ後）の高齢社会白書によれば、60歳以上で「家族以外の親しい友人がいない」と答えた割合は31・3％とほぼ3人に1人だった。この割合はアメリカ14・2％、ドイツ13・5％、スウェーデン9・9％よりはるかに高く、「孤独死」が日本で大きな社会問題になる理由がわかる。

それ以外でも、統計数理研究所による「日本人の国民性調査」では、「あなたにとって一番大切と思うものはなんですか」の質問に「家族」という回答が2008年にこれまでで最高の45％に達し（2013年は44％）、それと同時に、家族以外のひとと日常的に親しくつき合う傾向が低下している。

NHK放送文化研究所による「日本人の意識」調査でも、「なにかにつけ相談したり、たすけ合えるようなつきあい」を近隣のひとに求める割合は、1973年の35％から2018年には19％まで減っている。

このように、「リベラル化」する現代社会においてわたしたちはより「孤独」になっている。コロナ禍で孤独や孤立の問題が深刻化しているとして、政府は内閣官房に「孤独・孤立対策担当室」を設置したが、その背景にはこうした状況があるのだろう。

愛情空間・友情空間・貨幣空間

わたしたちの「つながり」は、大きく「愛情空間」「友情空間」「貨幣空間」の三層に分かれている（図表1）。愛情空間は親子や配偶者、パートナー（恋人）との親密な関係、友情空間は「親友」を核として最大で150人くらいの「知り合い」の世界、貨幣空間はその外側に広がる、金銭のやり取りだけを介してつながる茫漠とした世界だ。[10]

図表1 わたしたちの「つながり」の世界

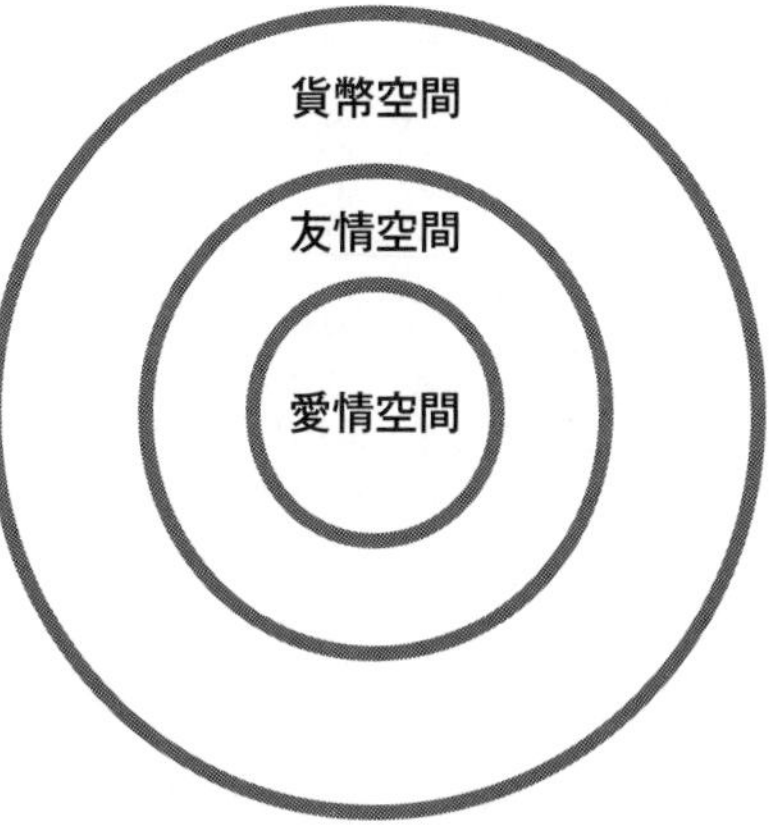

愛情空間は愛憎入り混じる関係で、友情空間は権謀術数の「政治空間」でもある。会社の派閥抗争からママ友のマウンティングまで、そこではさまざまな権力闘争が繰り広げられる。「親友」が重要なのは、魑《ち》魅《み》魍魎《もうりょう》の政治空間を生き延びるには「ぜったいに裏切らない仲間」がどうしても必要だからだ。それに対して貨幣空間はネットで商品を購入するような関係で、愛憎もなければ連帯や裏切りもなく、ルールどおりにすれば決められた結果が返ってくる。

この図式で考えるなら、現代社会で起きているのは、愛情空間の肥大化と友情空間の縮小、それにともなう貨幣空間の拡大だ。

なぜこのようなことになるのか。それは、ネットワークのひろがりに人間の認知能力が適応できないからだろう。

人類が進化の歴史の大半を過ごしてきた旧石器時代では、独自の共通言語（または方言）と葬儀などの文化的慣習を共有する1000人ほどが「社会」を構成していたとされる。だが食料確保の制約のため、全員が同じ場所で暮らすことはできず、日常的には30～50人の「バンド（野営集団）」と呼ばれる小集団で活動し、150人程度で構成される結束の強い共同体（メガバンド）が生活の中心になった。[11]

これが脳のスペックを決める要因で、一人ひとりの個性を見分けることができるのは50人（バンドのサイズ）が上限で、顔と名前が一致するのはせいぜい150人だ。学校の1クラスの上限が50人で、アイドルグループが48人なのも、年賀状をやり取りする人数や企業の一部門の上限がおおよそ150人なのもこれが理由だろう。

この法則がよくわかるのが軍の編成で、最大1500人の大隊（トライブ／民族集団）を60～250人の中隊（メガバンド／共同体）、30～60人の小隊（バンド／野営集団）、8～12人の分隊（ファミリー／家族）に分け、生死を共にする分隊のメンバーは「義兄弟」

にも似た強いつながりをつくる。世界じゅうの軍隊がこのような階層構造になっているのは、西洋式軍制の影響ではなく、脳の認知構造に合わせているからだ。

このように、脳が人間関係を把握する能力には強い制約がある。それにもかかわらず、短期間に世界がいきなり拡張してしまったらどうなるだろうか。

わたしたちは孤立しているのではなく、つながっている

生まれてからずっと小さな世界で暮らしていたら、人間関係はものすごく濃密なものになるだろう。狩猟採集生活から近代以前の農耕・牧畜社会まで、人類はずっと「濃い関係」のなかで生きてきた。そんな世界を描いたのが中上健次の小説で、あらゆる出来事が「路地」と呼ばれる小さな部落のなかで起きるが、それが神話や伝説と絡みあって巨大な宇宙（コスモス）を形成する。

だがいまでは、こうした小説世界は成立しなくなってしまった。もはや濃密な人間関係がなくなってしまったからだ。

カナダの社会学者バリー・ウエルマンは、その理由をテクノロジーによってひとびとの

世界が大きく広がったからだと考えた。徒歩や馬に比べて、電車やバスなどの公共交通機関が整備されればひとびとの物理的な移動範囲は拡大する。明治時代はもちろん戦前までは海外旅行はごく一部の特権層しかできなかったが、旅客機の登場でいまでは（感染症がなければ）誰でも気軽に海外に行けるようになった。

それに加えて、電話やインターネットで世界じゅうのひとと会話やメッセージをやり取りできる。新型コロナの新常態では、Zoomのようなウェブ会議サービスを使って世界各国のスタッフとミーティングしたり、海外の大学の授業を受けたりすることが当たり前になった。

その結果、身近なひとたちで構成されるせいぜい150人程度の世界は、理論的には78億人まで5000万倍以上に拡張した。これは大げさだとしても、Facebookの「友達」の上限は5000人で、認知の上限の30倍以上だ。そのうえネットワークを介した「友達」は世界じゅうに散らばっているのだから、伝統的な人間関係は環境に合わせて変容せざるを得ない。

ウエルマンは、これを「ネットワーク個人主義」と名づけた。[12] そこでは、「村」「学校」

「会社」のような共同体に全人格的に所属する必要がなくなり、ひとびとは多様で分散したコミュニティに部分的に所属することが可能になった。その結果、重層的で密着した「濃い」人間関係が減少する一方で、アドホックな（その場かぎりの）人間関係が広がっていく。

テクノロジーの進歩によってわたしたちは社会的に孤立するようになったといわれるが、これは現実に起きていることを取り違えている。実際には、わたしたちはより多くのひとたちとつながるようになり、人間関係は過剰になっている。それがなぜ「孤独」と感じられるかというと、広大なネットワークのなかに溶け込み、希薄化しているからだ（ここでアニメ『攻殻機動隊』の草薙素子《くさなぎもとこ》の科白「ネットは広大だわ……」を思い浮かべたひともいるだろう）。

性愛の肥大化と友だちの消滅

人種、国籍、性別、性的指向などを問わず、多様なひとたちが「自分らしく」生きる社会では、当然のことながら、それぞれの主張や利害が対立し、人間関係は複雑化する。江戸時代は身分制社会で、相手が武士なのか百姓・商人なのかの身分さえわかれば、どのように振る舞えばいいかが自動的に決まった。

近代になってこうしたルールが撤廃され、すべてのひとが平等になると、一人ひとりの「個性」に合わせて最適な振る舞いをしなければならなくなった。これは大きな認知的負荷をともなうので、人間関係を「面倒くさい」と思うひとが増えてくる。これが政治（友情）空間が縮小するもうひとつの理由だろう。

人生において政治＝他者との関係が占める割合が小さくなれば、そのぶんだけ愛情空間が拡大し、家族や恋人との関係、すなわち性愛が重要なものとして意識されるようになる。最近の小説やマンガ・アニメは半径10メートル（あるいは5メートル）以内の世界をひたすら描くものばかりだが、これはひとびとの「つながり」の範囲が小さくなっていることに対応しているのではないか。

それと同時に、政治（友情）空間が縮小すれば、その外側にある貨幣空間が拡大するはずだ。子どもの面倒をみてもらうことからペットの世話まで、これまで共同体の濃密なつながりに依存していたことを、わたしたちはどんどん貨幣経済で代替するようになってきた。「濃いつき合い」は大きな心理的コストをともなうので、それを金銭的コストで済ませようとするのだ。

産業構造のサービス化によって友情空間が貨幣空間にアウトソースされ、それによって愛情空間が肥大化すれば、友情はいずれ不要なものになってしまうだろう。いわば「友だちの消滅」だ。

ビルの屋上などにフットサルコートを整備しているところが増えてきた。このスポーツを楽しむには、(ゴールキーパーを含めて)各チーム最低3人、最大5人(それ以上は交代要員)のメンバーが必要になる。

私は単純に、若者たちがフットサルのチームをつくって対戦するのだと思っていた。しかし最近では、決まったチームを持たずに時間があると近くのフットサルコートに行き、人数が足りなかったり、競技者が抜けたコートに入ってプレイするのだという。私にこのことを教えてくれた若者は、「いちばん嫌われるのは友だちとつるんでやってくることで、そういう奴らにはパスを回さない」といった。

ゲームが終わると互いにハイタッチして解散で、相手の年齢や仕事はもちろん名前すら知らない。見知らぬ者同士がたまたま同じコートでフットサルをプレイするのがいちばん楽でいいというのだが、これはまさにパールズの「ゲシュタルトの祈り」そのものだ。

スクールカーストの世界

２００９年に小説すばる新人賞を受賞した朝井リョウの『桐島、部活やめるってよ』は、地方都市の共学の公立高校を舞台に、男子バレーボール部のキャプテン桐島が突然、部活をやめるという噂が流れたことで、２年生のクラスにさざ波が広がる様を、同級生５人のオムニバス形式で描いている。

この高校では、男子と女子に厳密なスクールカーストができていて、上位カーストの男子はバレー部、女子はバドミントン部のような体育会系クラブに所属し、それぞれがカースト順位と見合った相手とつき合っている。桐島は男子の最上位にいたから、彼が部活をやめることは「カーストシステム」全体を揺るがす大事件なのだ（桐島はいっさい登場せず、なぜ部活をやめるかも語られない）。

下位カーストを構成するのは自主映画を制作する涼也らオタク的な生徒たちで、上位カーストの女子からは存在すら無視されている。――こうしたタイプは、最近は「陰キャ（陰気なキャラ）」とひとくくりにされている。

東原かすみは、クラスでもっとも目立つ女子4人グループに入っているが映画が好きで、中学時代は涼也と親しかった。しかしカーストを越えて口をきくことは許されないため、高校で涼也と同じクラスになっても知らないふりをしている。

この作品では、生徒たちの日常世界は「同じ高校の同じ学年（さらには同じクラス）」で閉じている。映画化もされてヒットしたのは、閉じた「伽藍《がらん》の世界」のなかで強固な階層性（ヒエラルキー）が構築されていく高校生活が、同世代の実感に合っていたからだろう。

ヴァーチャルな評判でつながる世界

2021年に吉川英治文学新人賞を受賞した加藤シゲアキの『オルタネート』は、東京の共学の私立高校を舞台に、調理部の部長になった3年生の蓉《いるる》や、音楽への夢をあきらめきれず高校を中退して上京した尚志《なおし》らの交友を描いている。――大学までの一貫校なので受験の影はなく、生徒たちにとってもっとも重要なのは、高校のあいだに彼氏／彼女をつくることだ。

「伽藍の世界」を舞台にした『桐島、部活やめるってよ』と大きく異なるのは、日本じゅうの高校生が「オルタネート」というSNSによってつながっていることだ。そのためスクールカーストは存在せず、生徒たちの世界は「バザール化」している。

それを象徴するのが、もはや学校内でカップルが成立しないことだ。唯一の例外はダイキとランランだが、2人は同性愛者で、デートの様子を動画にアップすることでSNSの人気者になっている（その後、2人は別れた）。

高校生たちは、他校に気になる生徒がいるとすかさずオルタネートを検索し、プロフィールを確認する。恋人がいないとわかると、男子も女子も気軽にアプローチする（フロウを送ってコネクトする）のが当たり前になっている。

オルタネートにはマッチング機能もあり、SNSの投稿や「いいね」からAIが相性を診断するだけでなく、自分の遺伝子情報を登録すると、生物学的に最適な遺伝子をもつ相手を探してくれる。オルタネートを信奉する凪津《なづ》は、一面識もないにもかかわらず、遺伝的な相性が92・3％と診断された桂田と交際しようとする。

とはいえ、生徒たちの悩みや喜びは私にも理解可能だ。日本じゅうに動画配信される料理コンテスト「ワンポーション」の決勝に進んだ蓉が、それをきっかけに疎遠だった料理人の父と和解するなど、「愛情空間」は生徒たちの人生の大きな部分を占めている。世界＝ネットワークの構造は変わっても人間の本性は変わらない。

高校を舞台にしたこの2つの作品は、10年を経て若者たちの人間関係がどのように変化したのかをよく示している。ネットワークが拡張したことで学校内の階級は消滅したが、その代わり、高校生たちはＳＮＳでつながろうとし、ヴァーチャル空間での「評判」に夢中になっているのだ。

「リベラル化」がすべての問題を引き起こしている

リベラル化の潮流で「自分らしく生きられる」世界が実現すると、必然的に、次の3つの変化が起きる。これらは相互に作用しあい、その影響は増幅されていく。

①世界が複雑になる
②中間共同体が解体する
③自己責任が強調される

すべてのひとが自分の利害を主張すれば、人間関係は絡みあってトラブルの解決が困難になり、政治は利害調整の機能を失って渋滞する。個人主義が広がれば、町内会やＰＴＡのような中間共同体が行なっていた地域の「政治」も消失する。日本社会を支える最後の共同体は「（イエとしての）会社」だが、年功序列・終身雇用の「日本型雇用」は機能不全を起こしており、働き方改革によってグローバルスタンダードの「お金を稼ぐ場所」へと変わりつつある。

身分制社会では、生まれたときの身分によって職業や結婚相手など、その後の人生が決まってしまう。これはきわめて理不尽だが、それで不幸になったとしても個人の責任が問われることはない（「生まれ」が悪かったのだ）。ところが「誰もが自分らしく生きられる社会」では、もはや身分のせいにすることはできず、成功も失敗もすべて自己責任になる。

――これが「メリトクラシー」だ。

自助・共助・公助のうち、中間共同体が担う共助がなくなれば、あとは自助と公助しか残らない。人類史上未曾有の超高齢社会に突入した日本は1000兆円を超える借金を抱え、これ以上の公助の余地はかぎられる。そうなれば必然的に、自助（自己責任）が強調されるようになるだろう。――これが「ネオリベ化」だ。

それに反対する「左翼（レフト）」は公助の拡充を求めており、これが極端になったものが、「すべての国民に生活に必要な額を毎月給付する」UBI（ユニバーサル・ベーシックインカム）や、「主権通貨」をもつ国はほぼ無制限に財政拡張できるとして、それを原資に政府・自治体やNGOが失業者を雇用する（完全雇用を目指す）MMT（現代貨幣理論）だろう。――これについてはあとで検討する。

これらは拡大する一方の経済格差を解決するための方策だが、人生において性愛が占める役割がとめどもなく膨らんでいるという別の格差（性愛格差）は無視されたままだ。

誰もが知っているように、すべてのひとが「望ましい性愛」を獲得できるわけではない。それればかりか、未婚率の大幅な上昇が示すように、そもそも性愛を手にすることすらできないひとたちがいる。

きらびやかな現代社会のゆたかさは、その陰で、経済格差の底辺で生活の方途を失いかけていたり、性愛格差の底辺で愛情空間から排除されてしまった膨大なひとたちを抱え込んでいる。彼ら／彼女たちは、「夢」が氾濫するこの日本で、将来に絶望し「安楽死」を望んでいる。

テクノロジーが発達しグローバル市場が拡張すればするほど富が偏在する。ネットワークが広がって「つながり」が希薄化するほど人間関係（ネットワーク）が偏在する。そしていま、「つながり」は地球を覆うだけでなく、時空を超えて拡張しつつある。ひとびとは地球上の78億だけでなく、この世界には存在しないさらに膨大な数の「魂」とも自在につながることができるようになった。

リベラルの理想を信じるひとたちは、現代社会で起きているさまざまな社会問題をリベラルな政策で解決しようとする。しかしこれは話が逆で、じつは「リベラル化」がすべての問題を引き起こしている。

わたしたちは「自由な人生」を求め、いつのまにか「自分らしく生きる」という呪いに囚われてしまったのだ。

1　以下の記述は、引用を含め井上義和『未来の戦死に向き合うためのノート』（創元社）より。
2　永松茂久『人生に迷ったら知覧に行け』きずな出版
3　神奈川新聞取材班『やまゆり園事件』幻冬舎
4　ロナルド・イングルハート『文化的進化論　人びとの価値観と行動が世界をつくりかえる』勁草書房
5　詳しくは拙著『〈日本人〉』（幻冬舎文庫）参照。
6　高部大問『ドリーム・ハラスメント　「夢」で若者を追い詰める大人たち』イースト新書
7　児美川孝一郎『夢があふれる社会に希望はあるか』ベスト新書
8　Miller McPherson, Lynn Smith-Lovin and Matthew E. Brashears（2006）Social Isolation in America: Changes in Core Discussion Networks over Two Decades, *American Sociological Review*
9　池田謙一編著『日本人の考え方 世界の人の考え方　世界価値観調査から見えるもの』勁草書房
10　詳しくは拙著『残酷な世界で生き延びるたったひとつの方法』（幻冬舎文庫）参照。
11　ロビン・ダンバー『人類進化の謎を解き明かす』インターシフト
12　Lee Rainie and Barry Wellman（2012）Networked: *The New Social Operating System*, MIT Press

2 「自分さがし」という新たな世界宗教

チャールズ・ライクの名を知るひとはいまではほとんどいないだろう。ライクは1960年代後半に西海岸で始まった「文化革命」のイデオローグとして人気を博したが、その後、急速に忘れられていく。その理由は、いま読み返すと、ライクが書いたものがおそろしくつまらないからだ。

カウンターカルチャーへの賛歌

ライクのもっとも有名な著作は1970年に刊行された〝The Greening of America（緑化するアメリカ）〟で、『緑色革命』として翻訳されている。「60年代のカウンターカルチャーへの賛歌」とされるこの本でライクは、ヘーゲル流の「意識の進化論」を展開している。

「意識Ⅰ」はアメリカ建国時代の「自主自尊」の価値観で、西部劇などによって大衆に広まり、19世紀に「アメリカン・ドリーム」として結実した。「意識Ⅱ」は20世紀前半に形成された工業化時代の価値観で、組織や合理性を優先し、「人間性」や「自然」を抑圧する社会を生み出した。これをライクは、政治・経済・文化などが統合した権力システム（統合国家）として論じている。

「意識Ⅲ」は、統合国家が自壊するプロセスのなかから出現した新しいタイプの意識で、あらゆる経験に向かって自己を開き、自分の内面を探検し、真の自己表現を行なうとされる。この〝意識の変容〟こそがカウンターカルチャーとヒッピームーヴメント（フラワーチルドレン）の本質なのだ。――ここからわかるように、ライクは「革命（Revolution）」を唱えたのではなく、春になって木々が芽吹くようにひとびとの意識が変わりつつあることを「グリーニング（緑化）」と呼んだ。

このわかりやすいロジックは、突然、奇妙な格好をして「ドラッグ・セックス・ロックンロール」に熱狂しはじめた若者たちに困惑する大人たちのあいだで大きな評判を呼んだ。誰もが、目の前で起きている奇怪な社会現象について納得できる説明を求め、安心したいと思っていたのだ。

とはいえ、この牧歌的な権力システム論（不可視の権力構造が市民を抑圧している）は、いまでは「厨二病（中学2年生が夢中になるような理想主義）」として鼻で笑われ、一蹴される類のものだろう。思想的にはなんの価値もない。

だったらなぜそんな「忘れられた人物」の話をするのか？　それは超エリートの保守的な白人だったライクが、「自分らしく生きる」という〝価値観の全面的な転換〟を体験した人類史上最初の世代であり、その驚きを瑞々しい文体で描いているからだ。

超エリートの秘密

『〝緑色革命〟前後』は、ライクが1976年に刊行した自伝で、邦題のとおり全米ベストセラーとなった『緑色革命』を執筆する前後の出来事を綴っている。[13]原題は〝The

Sorcerer of Bolinas Reef》で「ボリナス岩礁の魔法使い」の意味だ。この奇妙なタイトルについてはあとで説明することにしよう。

わたしたちは「自分らしく生きる」ことを当たり前だと思っている。しかしそれは、アメリカですら、1960年代まではとてつもなく異様な思想であり、人生観だった。はじめて「自分らしく生きられる」ことを知ったとき、その体験はどのようなもので、ひとはなにを考え、人生はどう変わるのだろうか。そんな視点でとらえ返したとき、ライクの「忘れられた物語」は新たな意味をもって立ち上がってくる。

ライクは1928年、ニューヨークのリベラルな医師の家に生まれ、法律の道に進んでイェール大学ロースクールで、最優秀の学生に与えられる栄誉であるロー・ジャーナル(法律時報)の編集長に就任した。卒業後は連邦最高裁判所のヒューゴ・ブラック次席判事のロークラーク(調査官)に採用されたが、これも最優秀の法律家の卵である証だった。

司法の中枢である最高裁判所で判事を補佐する2年間の研修が終わり、27歳からワシントンDCの有名法律事務所で働くようになったものの、ライクは法律をビジネスにすることに馴染めず、学究の道に転身する。そして1960年、32歳の若さで母校イェール大学ロースクールの教授に就任した。この華やかな経歴からわかるように、ライクは当時のアメリカ社会の超エリートであり、まぎれもない「特権層」だった。

青年時代のライクは、「幸福とは義務をはたしたことへの報酬」だと素直に信じていた。社会が自分に求めていることを立派にやりとげれば、社会は約束を果たすに決まっているから、幸福を受け取ることができるはずだと思っていたのだ。

この信念が揺らいだのは、政府や司法の世界を支配していた〝ザ・クラブ〟と呼ばれるエリート・グループの価値観に合わせるのが苦痛になったからだ。アイビーリーグのロースクールを出た白人男性の法律家で構成されるこの集団では、タフ・マインド（強腰）とハード・ノーズド（鼻っ柱の強さ）が至上の価値で、猛烈な競争心でライバルを叩きのめすことが最高の栄誉とされた。理想家肌のライクにとっては、これらはバカバカしいものとしか思えなかった。

だが、ライクがエリート法律家の生活に馴染めなかったのには、もうひとつ理由があった。

1950年代のアメリカでは、女性は20代前半、男性も20代後半で結婚し、郊外に瀟《しょう》洒《しゃ》な家を構えて子どもをつくり、「愛情あふれる家庭」を営むのが当然とされていた。超エリートのライクにも、自薦・他薦の花嫁候補やカクテル・パーティ（婚活パーティ）の誘いが大量にやってきた。ライクも生涯のパートナーを探すためにデートを繰り返し、パーティにも積極的に参加したが、こころを動かされるような女性と出会うことはできなかった。

なぜならライクは、女性を性愛の対象として見ることができなかったのだ。

「愛されることも、愛することもない」敗残者

ライクは11歳のときからずっと、少年に対して「強烈な性愛的空想」を抱いていたが、自分を同性愛者だと認めることはとうていできなかった。そこで交際相手を探しながら、精神分析の治療を行なうことにした。女性とのセックスは、水泳や車の運転を習うのと同じように、最初のちょっとしたコツをつかめばかんたんにできるようになると考えたのだ。

だが女性と親密になり、相手が積極的な関心を見せはじめると、ライクの感情には必ず急激な変化が起きた。突然、彼女の顔を見ることすらできなくなり、いっしょにいるのが

耐えられなくなった。彼女の言葉やしぐさの一つひとつや体臭にすら嫌悪を感じ、それは「鉄の扉ががちゃんとおりた」ようなものだった。そうなると、新しい女性を探す以外になす術はなかった。

同僚たちが次々と結婚していくなかで、ライクは一人ワシントンDCの素っ気ない独身者用のアパートに暮らし、実らぬ努力を繰り返していた。そのうちに、年長者の家庭に招かれると、そこの10代の息子たちと親しい関係を結ぶようになった。政治や学校のことを話題にしたり、地下室で卓球をしたり、いっしょにドライブしてハンバーガーを食べるだけのことだったが、そんなときにだけライクはわずかな幸福を感じることができた。

誰もがうらやむ「若き成功者」であるライクは、仕事を終えると誰もいないアパートにとぼとぼ歩きながら戻り、「私の牢獄」に閉じ込められ、怒りと絶望で鉄格子をがたがたと揺すっているだけのように感じていた。彼はブルックス・ブラザーズのスーツとぴかぴかに磨いた靴という完璧な身なりをした、「愛されることも、愛することもない」敗残者だった。

1960年、ライクは母校イェール大学に法学教授として迎えられる。イェールは東海岸のコネティカット州ニューヘイヴンにあり、大都会のニューヨークからは150キロほど離れている。人口10万ほどの学術都市での「隠遁生活」は、ライクの状況を大幅に向上させた。もはや独身でいることを奇異な目で見られることもなく、結婚相手を求めて無意味なデートを繰り返す必要もなくなった。なにより、知的な若者たちと共に過ごす時間は楽しかった。

しかしそれでも、まだ30代のライクは満たされない感情に苛《さいな》まれていた。居心地のいい場所に「幽閉」され、このまま生涯を終えてもいいのだろうか。そう考えると強い不安に襲われ、執拗な腰痛に悩まされることになった。

1967年、ライクは1学期間のサバティカル（長期休暇）を取得したが、なにをするあてもなかったので、夏の2カ月をカリフォルニアのバークレーで過ごすことにした。以前、知り合った若者がカリフォルニア大学バークレー校の法科大学院に進学しており、彼から、西海岸ではいま「ものすごいこと」が起きていて、自分は生活実験の寮に一時的に引っ越すことにしたから、ぜひアパートを使ってほしいと提案されたのだ。

ライクは迷った末、「創造されつつある新しい世界と新しいヴィジョン」を体験するというこの突飛な提案を受け入れた。こうして「悩める白人の超エリート」は、1967年の夏をカウンターカルチャーの聖地で過ごすことになった。

バークレーで生まれ変わる

1967年のカリフォルニアは、ワシントンDCやニューヨークだけでなくアメリカのどんな場所ともちがっていた。ゴールデン・ゲート・ブリッジの見えるアパートを出てバークレーの街を散歩すると、窓という窓からビートルズの「サージェント・ペパーズ・ロンリー・ハーツ・クラブ・バンド」や、ザ・ドアーズ、ジェファーソン・エアプレインなどの音楽が流れ出てきた。

ヒッピーたちが共同で暮らす木造家屋には、サイケデリックに塗装された古いバンが駐めてあった。床に座って禅の本を読んでいるあごひげの詩人、果物をたべながらサイモン・アンド・ガーファンクルの「スカボロフェア」を聴いている長髪のカリフォルニア娘、アレン・ギンズバーグかカール・マルクスのポスターを貼った部屋で香をたき、ギターをかき鳴らす若者たち……。

UCバークレーのスプラウル・プラザには、紫色のケープ、黒いシルクハット、ビーズや大メダルの首飾り姿のヒッピーや、ナップザックや寝袋を担いだ連中が行き交い、正午集会や演説集会、ロックコンサートなどが開かれた。この場所は「ヒッピー・ラヴ革命」の中心地だった。

そこはライクにとって「魔法の場所」だった。この街では、「退屈も、不安定感も、孤独感も感じず、私は新しい種類のコミュニティ、人生の中枢、で生活していた」。この奇跡のような体験を、ライクはこう書いている。

（スプラウル・プラザの地下にある）コモンズのキャフテリアは宇宙船でもあった。そこは、実質的には変化していないアメリカの内部で、新しい現実が出現しうるという可能性をあらわしていた。もしひとびとが変化し、その精神が変化するなら、とにかくアメリカはすっかりちがった国になれるだろう。そのことを了解することはできなかったが、感じることはできた。このキャフテリア＝宇宙船は、かつてボストンやワシントンＤＣとドッキングしていたかもしれない。しかし、いま、この宇宙船はここから浮揚し、以前、外側にあった現実をあとにのこし、新しく美しい場所に着陸したのであり、私はいつなんどきでもここからそとに出て、新しい世界のなかを歩けるはずであった。

ライクの体験は、とてつもなく強烈なものだった。つねに身なりを気にし、他人からどう思われるか不安だったライクは、この街では靴やシャツを脱いで歩くことができた。舗道に腰を下ろすことも、草地に寝そべることも、「笑ったり、ちょっとしたダンスを踊ったりする」こともできた。ライクは1967年のバークレーで「回心」し、新しい自分に生まれ変わったのだ。

自分のセクシャリティと決着をつける

バークレーでの生活を終えてイェールに戻ると、しばらくしてカウンターカルチャーの波が東部にも押し寄せてきた。学生たちは「魔法」に触れたように、クルーカットの髪は長髪に、カーキ色のズボンはベルボトムのジーンズに、ネクタイはビーズのネックレスに変わった。だがそれ以上に、学生たちの内面は大きく変わりつつあった。それをライクは、「幸福な子供になる自由」と呼んだ。

ライクはそんな学生たちと語り合い、学び合いながら、「新しい意識」についての論文を共同でつくる授業を始めた。学期ごとのレポートは、短編小説、詩と楽譜のついた歌、コラージュ作品などに変わった。討論はときに2時間も続くことがあり、政治、音楽、書物、詩、映画など、あらゆることについて問題提起し、互いの意見を傾聴し、反応しあった。ライクが食堂で考えごとをしていると、学生たちがそばにやってきて、軽く肩を叩き、「ぼく、きょうの講義をたのしみにしてますよ、チャールズ」と声をかけた。

そんな学生たちのなかに、イェール・ロースクールで学びはじめたばかりの2人の学生がいた。1人は、ローズ奨学生として2年間のオックスフォード留学から戻ったばかりのウィリアム・クリントン、もう1人は名門女子大の卒業生総代から法律の道に進んだヒラリー・ダイアン・ロダムで、のちにクリントンと結婚し、女性初の大統領を目指すことになる。

学生たちとの共同作業から生まれた『緑色革命』がベストセラーになったことで、ライクにはアメリカじゅうから電話、手紙、招待、インタビュー、講演依頼が殺到した。だが彼は、「有名人」になったことを素直に喜ぶことができなかった。

ひとつは、知識人が『緑色革命』を真面目に取り上げず、「気まぐれな一時的流行にかんするナイーヴな報告」と見なしたこと。もうひとつは、あまりにもラディカルだった60年代への反動で学生たちが保守化しはじめたこと。それは「世界が沈黙したまま変化しているような感じ」だった。

だがそれ以上に、ライクは自分のなかにある暗い秘密を隠すことができなくなっていた。イェールの若者たちと友人のような関係になったのは、ともに学び合い、成長し合うためだった。しかしそれと同時に、20代の若い男性と親密になる機会を得ることに性的なよろこびがあるのを否定することはできなかった。

親しくつき合うようになった何人かの学生から、「あなた、ホモセクシャルでしょう。ぼくに気があるようですね」といわれたこともあった。自分の性的指向を学生に知られることは、ライクの自我を根底から揺さぶった。

1972年秋、6カ月の自由休暇を取得したライクは、ふたたびサンフランシスコに飛んだ。目的は、自分のセクシャリティと決着をつけることだった。

43歳の初体験

サンフランシスコで暮らすようになったライクは、同性愛者のサブカルチャーを探求しはじめたが、エイズ禍以前に流行していたサウナでの乱交などにはまったく興味がなかった。かといって、「ゲイ・ラップ」という公開集会に出てみても、魅力的な相手を見つけることができなかった。

さんざん逡巡したあげく、ライクはゲイ雑誌に出ていた〝モデル〟に電話した。ケントという男は、「いいですよ、あと30分でひまになります」と、ライクの誘いをあっさり承諾した。

アパートにやってきたケントに、「きみに説明しておかなきゃならないことがあるんだけど」と、教授くさい態度でライクはいった。「信じられないかもしれないけど、わたしはセックスってどんなものか、どうするのか知らないんでね。でも、やってみたいんだよ。わたしにとってだいじなことなんで、決心したんだよ」

ケントはライクの手をやさしく握り、2人はベッドルームに向かった。衣服を脱ぐと、ジーンズの下に下着はつけていなかった。その素晴らしい肉体にライクの感情は震えた。それは「奇跡」であり、「神からの贈りもの」だった。

彼は私のペニスを口でくわえた。私はそれをうけいれた。太陽の光がさらに明るさを増して私の内部に流れこみ、暗い神秘的な空間がますます魔術的なおもむきをくわえてひろがった。それから、私にとってさいしょの本能的感情、つまり、私の生命のまったく自然な行為として、私は彼のペニスに顔をむけて口をひらいた。予想していたようなはげしい反発どころか、私はいまだ身におぼえのないようなよろこびを感じた。

ライクは43歳で、人生ではじめてのセックス体験だった。規定の25ドルにチップの10ドルを加えた額をケントに払うと、「きょうという日、きみは、ひとりの人間の生活を一変してくれたんだ。わかってもらえるだろうね」とライクはいった。

それから2週間、ライクは相手を変えて〝モデル〟を呼んだ。だが警察が男娼の取り締まりをはじめると、ライクも事情を聴かれ、裁判で証人になってもらえないかといわれた。イェール大学の法学教授が男娼を買っているというスキャンダルが暴かれれば身の破滅は明らかだった。

そこでライクは、ゲイバーで「愛人」を探すことにした。「強健で、スポーツマンで、背が高く、すらっとして、童顔であって、なかば官能の神みたいで、友好的で、超然としており、貴族的で、冗談のわかる、とくべつな若者」がライクの理想だった。だがそんな相手が、中年のくたびれた白人男を好きになってくれるだろうか。

それでもライクは、何人かの男をアパートに誘うことに成功した。だが彼らが求めていたのはセックスであり、いちど肉体関係をもつと次の男に乗り換えていった。そのような刹那的な関係は、「性的な友情」を望むライクには耐え難かった。

ようやくアドリアンという「才能があり、創造的で、非常にきわだった人間」と愛し合い、いっしょに暮らすことになったが、彼は占星術師だった。魔術を信じるエキゾチックなアドリアンとの共同生活はイェールの法学教授にはとうてい不可能で、2人は実験が失敗だったことを認め、アドリアンはすぐに引っ越していった。

この経験を最後に、ライクの「旅」は終わった。それ以上、前に進むエネルギーはなかった。

法学教授から「魔法使い」へ

1974年春、ライクは、ひとびとを「自己嫌悪」に追い込むシステムと訣別するために、イェールの職を退くことを決めた。終身教授としての安定した身分も、大学での待遇も申し分なかったが、それに頼っていては「独立不羈《どくりつふき》」で自分の人生を生きることはできないと悟ったのだ。

ふたたびサンフランシスコに戻ったライクは、キャシィという若い女性と知り合った。アキレス腱の手術のあと、連鎖球菌による敗血症を起こして療養中だったライクを、彼女はあたたかな友情で助けてくれた。60年代末にヒッピー的な生活を送り、芸術家になりたかったものの自信がなく、バンク・オブ・アメリカの事務員をしていた。

いっしょにレストランに行ったり、パーティに出たりするうちに2人は歳の離れた親友のようになり、やがて「セックスをもてるんじゃないか」と口にするようになった。自分がゲイであることを念押ししたが、キャシィはそれでかまわないという。

ある土曜日の午前、2人は衣服を脱いでいっしょにベッドに入り、互いに身体を温めあい、それからライクははじめて女性とセックスした。46歳でのこの〝初体験〟を、「私はよろこびに満たされた」とライクは書いている。

だが女性との性関係はこの1回だけで、その後、ライクは何人かの男性とつき合うようになる。

こうした性的遍歴を赤裸々に語ったのち、ライクは自分の内面を旅して「ほんとうの自分と出会う」ことの重要さを説く。本書の原題『ボリナス岩礁の魔法使い』のボリナスは、サンフランシスコの北、ボリナス湾に面した小さな村だ。ライクはゴールデン・ゲート・ブリッジを渡って、しばしばここを訪れ、太平洋を見渡すベンチに腰を下ろしたり、海岸を散歩したりした。こんなことを考えながら――。

私は成長しなければならない。かつてひとびとが経験したこともないようなかたちの自由な人間にならなくてはいけない。かってひとびとが知らなかったようなことをまなびとらなければならない。以前に、ひとびとがやったこともないようなかたちで、真理を探究しなくてはならない。

イェール大学の法学教授から「ボリナス岩礁の魔法使い」になったライクは、読者を「自分さがし」の内面の旅へと誘っているのだ。

「優越」と「劣等」の二重のアイデンティティ

ここまでチャールズ・ライクの『〝緑色革命〟前後』を紹介してきたのは、いまの時代、あまりにも「自分さがし」や「自分らしく生きる」が陳腐なものとしてバカにされているからだ。もちろん私は、「いまさら自分さがしなんて」という気持ちもわかる（というより、私自身がそう思っていた）。だがそれは、ライクのようなひとたちがこの「奇妙な思想」を世界じゅうに広めた結果だ。

いまから半世紀前、はじめて「自分らしく生きる」価値観に出会ったライクにとって、それは地位も名声も捨て、全身全霊を賭けるに値する、ある種の「宗教体験」だった。この新しい宗教はたちまち世界じゅうの若者たちを魅了し、社会の価値観を大きく変えていった。そう考えればこれは、キリスト教やイスラームなどの世界宗教の誕生に匹敵する人類史的な出来事だ。わたしたちはいまだに、その巨大なインパクトを正しく評価できていない。

ライクの苦闘は、いまなら社会心理学でいう「二重のアイデンティティ問題」として説明できるだろう。

ヒトは徹底的に社会的な動物で、自分を集団と一体化させると同時に、集団のなかで自分を目立たせるというきわめて複雑なゲームをしている。ここから生まれるのが、「社会的なアイデンティティ」と「個人的なアイデンティティ」だ。

その社会のマジョリティ（優越集団）は、もっとも安定した社会的アイデンティティをもつことができる。アメリカなら「白人・男性・異性愛者」、日本なら「日系日本人、男性・異性愛者」がマジョリティを構成し、黒人や外国人（移民）、女性、同性愛者などがマイノリティ（劣等集団）になる。ここでの「劣等」は、社会のなかで「劣った者たち」

と扱われると同時に、本人も自分を「劣等」と意識するようになることだ。

ライクは白人男性だったが、性的指向によってアメリカ社会のマジョリティから「欠格」と見なされた。このことによって個人的アイデンティティをつくることが困難になり、子どもの頃から「自分は自分でない」「どこかに〝ほんとうの自分〟がいるはずだ」と思うようになった。そんなライクが、60年代のカウンターカルチャーに強烈に引き寄せられたのは必然だった。

そして新たな分断線が引かれた

43歳で男娼相手にはじめて性のよろこびを知り、46歳で異性と〝初体験〟するまでのライクの遍歴は「いたいたしい」としかいえないが、それほど当時の同性愛者への差別や偏見が強かったということなのだろう。そんな苦悩と絶望のなかで、ライクは「自分らしさ」を否定する〝システム〟にドン・キホーテのような闘いを挑む。

だがその後、「リベラル化」の潮流のなかでマイノリティは徐々にマジョリティに包摂されていった。バラク・オバマが第44代アメリカ大統領になったのはその象徴だが、

2020年の大統領候補を選ぶ民主党予備選では、インディアナ州サウスベンド市長から立候補したピート・ブティジェッジ（バイデン政権で運輸長官に就任）が自ら同性愛者であることを公表し、同性婚のパートナーを紹介した。それ以前にヨーロッパでは、アイスランドのヨハンナ・シグルザルドッティル元首相、ベルギー（ワロン地域）のエリオ・ディ・ルポ元首相、ルクセンブルクのグザヴィエ・ベッテル首相が同性愛者であることを公表している。

ライクは一貫して「運動」から距離を置き、個人の意識の変容によって社会を変えることにこだわり、2019年に91歳で世を去った。だが現代に生まれたなら、この超エリートは政治の道を志したのではないだろうか。ハーバード大学卒業後にローズ奨学金でオックスフォード大学に留学した「同性愛者の白人男性」であるブティジェッジの経歴は、ライクととてもよく似ている。

多様性が受け入れられる社会では、マイノリティの社会的アイデンティティと個人的アイデンティティが大きく断絶することはなくなっていく（はずだ）。これは素晴らしいことだが、逆にいうと、多様性が認められるようになればなるほど、探すべき「自分」は消失していく。これが、「自分さがし」が陳腐化していった理由だろう。

だとしたら、リベラル化が完成した社会では、すべてのひとが「ほんとうの自分」を生きることができるようになるのだろうか。

半世紀前のフラワーチルドレンは本気でそんな夢を信じたかもしれないが、いまではたんなる夢物語になってしまった。マイノリティが社会に包摂されるようになるにつれて、社会により深い分断線が引かれることになったからだ。

13 チャールズ・ライク『〝緑色革命〟前後』早川書房

PART 2
知能格差社会

3 メリトクラシーのディストピア

メリトクラシー meritocracyは「能力主義」と訳されるが、この日本語には二重の意味で問題がある。

クラシー cracyはギリシア語で「支配・統治」を意味するクラトスkratosが語源で、イズムismすなわち「主義」ではない。テオクラシー theocracy（神政）やアリストクラシー aristocracy（貴族政）はいずれも政治制度のことだが、日本ではデモクラシー democracyを「民主主義」とする〝誤訳〟がいつまで経っても改まらない。神や貴族の代わりに民衆

（デモス）を主権者とする政治制度のことだから、主義＝イズムではなく「民主政（制）」とすべきだ。同様にメリトクラシーは、メリットmeritを「支配者」とする社会制度を意味する。

では〝merit〟とはなにか？　日本語の「メリット／デメリット」は「長所／短所」のことで、メリトクラシーは「長所による支配」になる。しかしこれでは、いったいなんのことかわからない。

メリトクラシーはイギリスの社会学者マイケル・ヤングの造語で、１９５８年の著作〝Rise of the Meritocracy（メリトクラシーの興隆）〟ではじめて使われた。じつはヤングはこの本で、メリットを（Ｉ＋Ｅ＝Ｍ）と明快に定義している。Ｉは知能（Intelligence）、Ｅは努力（Effort）で、メリット（Ｍ）は「知能に努力を加えたもの」なのだ。

ところがその後、このわかりやすい定義は使われなくなってしまう。それは「ＰＣ（political correctness：政治的正しさ）」の制約によって、「知能」の生得的なちがいに触れることがタブー視されるようになったからだろう。

メリットのもうひとつの特徴は、内面的な特性ではなく、公正な基準で客観的に評価されることだ。これは現代社会では「学歴」「資格」「経験（実績）」で、なぜこれが「公正」かというと、すべてのひとが「努力」によって獲得できるとされているからだ。——メリットは「功績」と訳されることもあるが、これは道徳的な含意があるのでやはり違和感がある。

メリトクラシーの背景には、「教育によって学力はいくらでも向上する」「努力すればどんな夢でもかなう」という信念がある。これこそが、「リベラルな社会」を成り立たせる最大の「神話」だ。

メリットによって人民が支配される社会

ヤングの作品は『メリトクラシー』として翻訳されているが、これが社会学の論文ではなく、ディストピア小説であることはほとんど知られていない。[14] オルダス・ハクスリーが『すばらしい新世界』（１９３２年）でテクノロジー官僚主義を、ジョージ・オーウェルが『１９８４』（１９４９年）で超監視国家を描いたように、ヤングは「メリット」によって人民が支配される２０３４年を舞台に選んだ。

この未来世界では、「文部省の破壊事件」や「技術者組合会議議長（TUC）の暗殺未遂事件」など社会を騒然とさせるテロ事件が立て続けに起き、人民党（ポピュリスツ）なる政党が大規模なゼネストを呼びかけている。この「人民党運動」は、「女性が指揮をとり、男性が兵卒としてそれに従うという奇妙な混成部隊」だ。

作品は名前も経歴もわからない社会学者の一人称で書かれており、主人公は1914年から1963年にかけてイギリスで行なわれた（とされる）教育制度改革の専門家だ。ヤングの目論見は、この改革の失敗が80年後の混乱の原因になることを、「未来からの警告」として論じることだった。

1950年代のイギリスはいまだ階級社会の残滓《ざんし》が色濃く残っていて、全寮制のパブリックスクールで学んだ貴族の子弟が社会の上層部を支配し、労働者階級の子どもたちは公立学校に通っていた。

第二次世界大戦後のイギリスの課題は、上流階級の「特権」をなくし、労働者階級を中産階級（ミドルクラス）に底上げして、身分による格差のない平等な社会を実現することだった。そのためにもっとも重要なのが「教育」で、成績によって子どもたちが公平に評価されるようになれば、貧困家庭出身の賢い子どもは社会的・経済的に成功し、金持ちの子どもでも出来が悪ければよい仕事に就けないのだから、いまよりずっとよい社会になるにちがいないという楽観論が支配していた。

そのため教育改革では、中高一貫の総合中等学校（コンプリヘンシヴ・スクール）を廃止して、大学進学を目指すグラマースクール（6年制）と、高等教育を受けずに就職する生徒のためのモダンスクール（4年制）に公立学校を分けることが目指された。より裕福な家庭のためには、寄宿制のグラマースクールも用意されていた。

労働党の政策立案にも関わったリベラルな知識人であるヤングは、もちろん「平等な社会」を望んでいたが、この教育改革が別のディストピアを生むことにも気づいていた。これは驚くべき慧眼だったが、惜しむらくはそのアイデアを小説に落とし込む技術が欠けていて、執筆当時、懸案となっていたセカンダリースクール（中等学校）の統廃合についての話が脈絡なく続くおそろしく退屈な作品になってしまったことだ。その結果、ハクスリーやオーウェルがいまも古典として読み継がれているのに比べて、ヤングの小説はすっかり忘れさられ、「メリトクラシー」という言葉だけが独り歩きすることになった。

階級社会から「知能による格差」へ

『メリトクラシー』でヤングは、現在（１９５０年代）の政権が目指している「公正な公教育」が実現し、それが30年続くとどのようになるかを１９８９年の「学校別の知能指数（ＩＱ）」で示している。――「１９８９年」としたのはオーウェルを意識したのかもしれない。

知能指数は正規分布（ベルカーブ）し、１００を平均として１標準偏差は15になる。これを偏差値（50を平均として１標準偏差は10）に直せば、未来のイギリスの中等学校では、高卒での就職を前提とするモダンスクールに全体の７割超を占める偏差値37～60の生徒が通っている。大学に進学するのはグラマースクールに通う偏差値60以上のおよそ15％の生徒で、そのなかでも偏差値67以上の生徒は寄宿制学校に入学する資格がある。

もうひとつの特徴は、生徒の知能指数が上がるほど「教師１人あたり生徒数」が少なくなり（寄宿制学校では１人の教師が生徒８人しか担当しない）、教師の知能も上がっていくことだ。

教育によって生徒が選別され、知能指数で階層化されると、社会はより多くの資源を賢い子どもに投入することを求めるようになる。このことによって、知能の高い子どもと低い子どもの差はますます広がっていく。

このようにヤングは、いまから60年以上も前に「教育」がどのような社会をつくるのかを正確に予想していた。教育にはたしかに、階級社会を解体するとてつもない威力がある。だがその代わりに、「知能による格差」を拡大するのだ。

才能の貴族制度

「リベラル」な社会では、身分や階級だけでなく、人種・民族・国籍・性別・年齢・性的指向など、本人が選択できない属性による選別は「差別」と見なされる。しかしそれでも、入学や採用、昇進や昇給にあたって志望者を区別（選別）しなければ組織は機能しなくなってしまう。

この難問を解決するには、「属性」でないもので評価する以外にない。それが「学歴・資格・経験（実績）」で、これらは本人の努力によって向上できるとされた。入学試験の成績が悪いのは本人が努力しなかったからで、一流企業に入社できないのは学歴が低いからだが、これも本人の「自由な選択」の結果なのだ。

これは逆にいうと、本人が努力すれば成績＝知能はいくらでも向上していくということになる。これが「教育神話」で、知能と努力をセットにした「メリット」による評価こそが公正な社会をつくるのだ。――その後これは「リベラル」の信念になっていく。

しかしヤングは、これがたんなるきれいごとだということに気づいていた。「全く当然のことながら、有能な父親が有能な子供をもつことは事実」であり、この流れは「知能指数の高いもの同士の結婚が広く行なわれるようになる」ことでさらに加速すると書いているように、高学歴の男女の同類婚によって高い知能が子どもに遺伝することもはっきりと認識していた。

行動遺伝学が半世紀にわたって積み上げた頑健な知見では、知能の遺伝率は年齢とともに上がり、思春期を終える頃には70％超にまで達する。[15] この科学的事実（ファクト）を認めることを現代のリベラルな知識人は一貫して拒絶しているが、1950年代は知能が遺伝することは当然の前提とされていたのだ。

人間は結局、天賦の才能が平等でなく、不平等であるため注目すべき存在なのである。すべての天才がエリート階級に属し、すべての低能者が労働者になれば、平等はどういう意味をもつか。知能が同じなら地位も同じという原則以外に、いかなる理想をかかげることができるか。不可避の自然の不平等をあらわにし、いっそう明らかにする以外に、教育の不平等をなくする目的はあるのだろうか。

知能の生得的なちがいを教育が拡大させるのだから、社会は「知能」によって分断されるほかない。知識社会化は、「門閥の貴族制度」を「才能の貴族制度」に変えてしまった。これがヤングの描いた未来世界だ。

5年ごとに知能テストを受ける

2034年のイギリスでは、知能の高い「上層階級」と知能の低い「下層階級」に社会は分断されている。エリート階級は国民の5%程度で、大半は「下層階級」に属している。

そこには、次の2種類のひとたちがいる。

現代（2034年）英国の下層階級

①下層階級の二世である多数者で、この中には、教育の梯子《はしご》によって出世したあたまのよい子供は除いて、下層階級の親をもつすべてを含む。

②下層階級の一世である少数者で、親は上層階級だが、学校で選別され、その低い能力にふさわしい階層に格下げされた知能の乏しい子弟たちである。

「各人はそのメリットによって判断されるべきだ」という原則が徹底された結果、2034年には学校は一生つづくものになっている。すべての国民に5年ごとに地域の成人教育センターで知能テストを再受験する資格が与えられるばかりか、奨励されるようになった。高い成績をとらなければ社会的・経済的な成功への道は閉ざされ、ひとびとは生涯にわたって学び続けることを強制されるのだ。――このようにヤングは、「生涯学習」をすでに予測していた。

メリトクラシーが徹底されると、年功序列は正当化できなくなる。高齢の労働者は、昇進試験でよい成績をあげなければ退職して無為の生活に入ることを余儀なくされ、自尊心を奪われることになった。

絶望死からAIまで

メリトクラシーのジレンマは、「知的な人たちと同じように、知能の低い子供やその両親も、程度こそ少ないが、やはり野心をかきたてられること」だ。親は子どもに過剰に自分たちの〝夢〟を託すが、「野心が愚鈍といっしょになると、挫折を生むしかない」と一蹴されている。

メリトクラシーを支持する知識人はこの矛盾を、「おたまじゃくし理論」で正当化しようとする。おたまじゃくしは、いつかはカエルになれると思っているから幸福なのだという。だが、「若いうちは幸福かもしれないが、蛙にはなれないことを知った多くの年とったおたまじゃくしはどうなるのか」とヤングは問う。

メリットのみで評価される社会が、メリットをもたない多くのひとたちを絶望させることもヤングはわかっていた。「絶望に追い込まれた人たちは、社会に対して抗議するだけの才がないので、自分自身に怒りを向けて、不具者にしてしまう」という件《くだり》は、アメリカの白人労働者階級がドラッグ・アルコール・自殺で生命を縮める「絶望死」ではないのか。

こうした社会の混乱を受けて、２００５年には「収入平等化法」が導入されることになった。すべての従業員が、どんな職階でも、たんに市民であるというだけで「平等給」を受け取るようになるというのだが、これはベーシックインカムそのものだ。――給料は同じだが、エリートは「能率の要求によってきめられる、いろいろな経費の支払い」すなわちフリンジベネフィットを受け取っており、下層階級よりずっと優雅な暮らしをしている。

さらに「将来の民主国家において誰が下働きをするのであろうか」との問いに、「もちろん、機械である。将来は機械がロボットになるだろう」とＡＩ（人工知能）の登場まで視野に入れている。

このようにヤングは、60年前のこの退屈な小説のなかで、現代社会で起きている問題のほとんどを正確に予言していたのだ。

知能の高い女がポピュリズムを牽引する？

日本では2019年に、母子2人が死亡するなどした池袋暴走事故を機に「上級国民」が流行語になり、コロナ禍で政治家や地域の有力者が優先的に入院したり、ワクチン接種を受けたときにもこの言葉が使われた。「階級（クラス）」は努力によって下層から上層に成り上がることができるが、「国民」という言葉には「変更を許さない絶対的な格差」が含意されていることは前著『上級国民／下級国民』で述べた。

メリトクラシーは、社会を「（知能の高い）上級国民」と「（知能の低い）下級国民」に分断する。

産業のサービス化とは、「知能が足りないために、通常の経済体制の中でふさわしい職を見出すことができない人たち」のための保護業種の婉曲な表現だ。上層階級が家庭の雑事を下層階級にアウトソースし、下層階級はそれによって仕事と収入を得ることができる。「劣った人たちは、すぐれた人が世の中で重大な役割を果たしていることを知っているので、いやな気持ちをもたずに、家庭サービスの仕事をするし、喜んで、すぐれた人たちと一体となり、奉仕するようになった」のだ。

しかし、このような妥協がいつまでも続くはずはなく、2034年には「上級国民」と「下級国民」の断絶が抜き差しならないところまで来ていた。学歴の低い者たちは、「社会へ出てからの挫折を自分たちがうけた学校教育の故だと非難し、自分が逃してしまったと思うチャンスを他人からも奪いたいと願う欲求不満の成人」となり、テロによる暴力的な闘争を始めたのだ。

文部省（教育の中枢）が破壊されたり、技術者組合会議議長（テクノクラートのトップ）が暗殺の標的になるのは、エリートに対する「下級国民」の反乱であり、この「下級国民」たちを人民党というポピュリスト政党が扇動している。——2021年のトランプ支持者による連邦議会議事堂占拠事件を重ね合わせれば、ヤングの驚くべき先見性がわかるだろう。

興味深いのは、この人民党を「婦人運動」が主導していることだ。これはヤングの予測が外れた数少ない例で、2034年になっても男女の性役割分業が維持されており、女性は家庭に押し込められている。そうなると、男は知能によって分断されているのだから、

「下級国民」のなかで指導者の資質がある高い知能をもつのは女しかいない。

ヤングは「下級国民」の男を、「彼らは事実悩んでいるのだが、知能が低いために、それを口にだしていえないのだ」とした。だからこそ、知能の高い女が男たちの代弁者としてポピュリズムを牽引するというのだが、現実にはエリートのフェミニストたちは、トランプを支持する白人労働者階級の男たちを「毒々しい男らしさ（Toxic Masculinity）」として毛嫌いしている。

ポピュリストと偽善者

能力にちがいがある場合、公平（機会平等）と平等（結果平等）は原理的に両立しない。子どもたちの足の速さには差があるから、同じスタートラインに立たせて公平に競争させると、順位がついて不平等になる。

ヤングはこの単純な事実に気づいており、だからこそ、そのことを認めようとしない「きれいごと」だけの知識人に苛立っていた。『メリトクラシー』がリベラルな知識人への告発であることは、次の記述から明らかだろう。

教育が公正でなかったため、人びとは幻想をもちつづけることができ、機会が不均等であったため、平等の神話が培われた。われわれは神話であることを知っているが、われわれの祖先たちは知らなかったのだ。

機会は平等と結合したときいっそう尊敬すべきものとなり、〈聖杯（ホーリー・グレイル）〉となった。機会均等というものは、実際に適用されると、不平等になりうるということが社会主義者にはわからなかった。

メリトクラシーは貴族政（アリストクラシー）より公平だが、だからこそより不平等で残酷だとヤングは考えた。階級社会では、自分が成功できない理由を社会制度の責任にできる。だがメリトクラシーでは、すべてのひとに公平に機会が開かれているのだから、「自分が本当に劣等であるという理由で、自分の地位が低いのだと認めなくてはならない」のだ。

もちろん1950年代にも、こうしたリアリズムを受け入れられない知識人はいた。それが「知的平等主義者」で、下の階級も自分たちと同じ能力をもっているはずだという「神人同形説に似た考え方」をしていた。「彼らはすぐれた人たちであるけれども、羨望されるのをおそれて、自分を負け犬と同一視して、負け犬のために弁護してやる。彼らは平等が機会に優先すべきであると要求する。権力、教育、収入における平等を要求する」とヤングは書く。――日本にも同じような「やさしいリベラル」がたくさんいるだろう。

人民党（ポピュリスツ）は、こうした態度を「偽善者」と批判する。メリトクラシーの行きついた果てには、扇動家（ポピュリスト）と偽善者（ヒポクラッツ）しかいなくなるのだ。

サンデルが告発するメリトクラシー社会

メリトクラシーが支配する社会では、人種や性別などの「属性」ではなく、誰もが「知能と努力」によって成功できるとされる。その理想を体現する者として、史上はじめて「黒人大統領」となったバラク・オバマ以上の存在はないだろう。事実、オバマは「この国では、どんな見た目であろうと、出自がどうであろうと、名字が何であろうと、どんな挫折を味わおうと、懸命に努力すれば、自ら責任を引き受ければ、成功できるのです。前へ進めるのです」などと、繰り返しメリトクラシー（アメリカン・ドリーム）を賛美している。

だが、「白熱教室」で知られるハーバード大学の人気哲学教授マイケル・サンデルは、このオバマの発言を引いて、市場原理主義的な「出世のレトリック」だときびしく批判する[16]。

サンデルは、「ある才能を持っていること（あるいは持っていないこと）は、本当にわれわれ自身の手柄（あるいは落ち度）だろうか」「自分の才能のおかげで成功を収める人びとが、同じように努力していながら、市場がたまたま高く評価してくれる才能に恵まれていない人びとよりも多くの報酬を受けるに値するのはなぜだろうか」と問う。「富は才能と努力のしるしであり、貧困は怠惰のしるしである」とする道徳的な世界では、エリートは自分の成功を神の恩寵（当然の報酬）と見なし、低学歴の白人労働者階級を「屈辱の政治」に追いやることになってしまうというのだ。

『実力も運のうち　能力主義は正義か？』（原著のタイトルは〝The Tyranny of Merit〈メリットの専制〉〟）でサンデルが述べているのは、マイケル・ヤングとまったく同じことだ。このことは、ヤングの『メリトクラシー』がようやく再発見されたともいえるし、リベラルな知識人（共同体主義者《コミュニタリアン》のサンデルはこの呼称を拒否するだろうが）が半世紀のあいだ、なんの進歩もなかった証左ともいえる。

日本やイギリスなどとちがって、アメリカは「身分」や「階級」のないところで人工的につくられた国家で、そのためより純化されたメリトクラシー社会になった。学歴が収入のちがいに反映されることはよく知られているが、アメリカはこの学歴格差が先進国としては異常に広がっている。

日本では大卒・大学院卒の男性の生涯賃金は2億6980万円で、高校卒の2億910万円より30％多い（2018年）。アメリカはもっと極端で、大卒の収入プレミアムは70～100％（2倍）とされる。この極端な格差が「アメリカン・ドリーム（努力すれば夢はかなう）」となって強固な信念を形成し、いっさいの批判や反駁《はんばく》を許さなかったのだろう。

経済的報酬と道徳を切り離す

サンデルは、メリトクラシーに対する説得力のある反論として、「自由主義リベラリズム（フリードリッヒ・ハイエク）」と「福祉国家リベラリズム（ジョン・ロールズ）」を挙げている。

ハイエクは、あるひとがより多くの報酬を受け取ったとしても、それはたんに「市場の評価」を示しているだけで、道徳的価値とはなんの関係もないと論じた。ヘッジファンドマネージャーが教師や看護師・介護士より何百倍、何千倍の報酬を受け取ったとしても、それが「不正」かどうかを問うことは無意味だ。なぜならそれは、たんに「需要と供給の偶発的な状態」によって決まるものでしかないのだから。

サンデルによれば、ハイエクは「（成功のための）平等なスタートと同一の可能性をすべてのひとに保証しなければならない」というリベラリズムの原則すら、国家によるコントロールを招くとして認めなかった。報酬と道徳を切り離すのも、その真意は再分配の要求をかわすためだ。ハイエクは、メリトクラシーを「国家主義」の一形態として拒否したのだ。――とはいえハイエクは、近年では、「誰も、自分自身を扶養することができないときでさえ、それ以下に落ちなくてもよい、ある種の最低保証」の必要を説いたとして、ベーシックインカムの賛同者の一人と見なされている。[17]

ジョン・ロールズは、「現代にリベラリズムをよみがえらせた」とされる『正義論』で、「生来の才能による所得の不平等は、正義にもとるという点で、階級の違いから生じる不平等と何ら変わらない」として、やはりメリトクラシーを否定した。だがこちらはハイエクとは逆に、大きなメリットをもつ幸運な者は、その富をコミュニティ全体と分け合うべきだという主張になる。

ハイエクとロールズは対極にいるように見えるが、実は同じ立場だとサンデルはいう。いずれもメリットが生み出す経済的報酬は道徳とは無関係だとして、富を再分配するにしても、しないにしても、それを功利的に処理すればいいと述べているのだ。

「運の平等主義」という遺伝決定論

第二次世界大戦後のリベラリズムは、ナチスの優生学の反省のもとに遺伝的要素を全否定し、男らしさ、女らしさですらも子育てや学校教育によってつくられるという極端な「環境決定論」を主張してきた。これが「社会構築主義」だ。

ところが「運の平等主義」と呼ばれる近年のリベラリズムでは、これとはまったく逆に、メリットが遺伝することを全面的に認め、現代社会における社会的・経済的成功は「遺伝的宝くじ（遺伝ガチャ）」に当たった幸運な者（スティーブ・ジョブズ、ビル・ゲイツ、イーロン・マスクなど）が独占し、遺伝ガチャに外れた者は成功から排除されると考える。同じリベラルを名乗っていても、こちらは「遺伝決定論」だ。

「運の平等主義」では、遺伝ガチャに外れたのは個人ではどうしようもない〝初期設定〟なのだから、その不運に対して公正な補償を受ける権利があるとする。

だがサンデルは、この新種の「福祉国家リベラリズム」には大きな問題があるという。

ひとつは、大きなメリットをもっている（遺伝ガチャに当たった）にもかかわらず、自由意志で勤労を拒み、困窮した者が支援の対象から外されること。これは「救貧法的思考」で、支援を受ける資格があるかどうかを国家が尋問することになる。

もうひとつは、支援を受ける正当な理由がある（遺伝ガチャに外れた）ひとを「無力な牲者」と見なして名誉を傷つけること。「公的支援を受ける資格を手にするには、自分ではどうにもならない力の犠牲者であるとして自らをアピールし、また、自分でもそう思い込まなければならない」のだ。

メリトクラシーへの批判は、このように環境決定論でも遺伝決定論でも隘路《あいろ》に突き当たる。

メリットが社会環境で決まるなら、国家は教育に多大な投資をして、国民すべてが大きなメリットをもてるようにすればいい。だがこの教育立国論は「メリットの専制」を引き起こしただけで、現代社会の混乱は理想がすでに潰《つい》えたことを示している。

メリットが遺伝によって決まっているのなら、遺伝ガチャに当たった者から外れた者に再分配すればいいということになるが、これは社会を「遺伝的特権層」と「遺伝的犠牲者」に分断するだけだ。こうして話は、ヤングが半世紀前に描いた「メリトクラシーのディストピア」に戻っていく。けっきょく、出口はどこにもないのだ。

哲学芸人のパフォーマンス

「白熱教室」で世界的に有名になったマイケル・サンデルは、現代のメリトクラシーの頂点に立つ知識人だ。『実力も運のうち』は、そのサンデルがメリトクラシーを真っ向から批判したことで注目を集めたが、その結論はどのようなものだろうか。

サンデルは、知識社会から脱落し見捨てられたひとびとの「労働の尊厳」を回復するために「低賃金労働者への賃金補助」を行なったり、その財源として給与税（社会保障費）を引き下げるか撤廃し、代わりに消費、資産、金融取引に課税する案を紹介している。だが、翻訳で300ページにわたって、メリトクラシーを道徳に結びつけることの過ちを縦横無尽に論じておきながら、最後の10ページほどであたふたとこのような「解決策」が出てくることに拍子抜けするひとも多いだろう。こうした処方箋になんらかの効果はあるかもしれないが、（サンデル自身が力説してきた）問題の大きさに比べてあまりにちから不足だ。

メリトクラシーを緩和するもうひとつの提案が、「大学入学者をくじ引きで決める」だ。とはいえこれは、ハーバードなど名門大学の入学適格者（高校でその優秀さが認められた者）のなかでの抽選で、「誰もが大学で学べる機会をもてる」ことではない。

この奇抜なアイデアについては、当然のことながら、「生得的に高い知能に恵まれた者と、そうでない者とのあいだの格差解消になんの役にも立たない」との批判があるだろう。サンデルは、自分のブランドであるハーバード大学のステイタスを保つため、優秀な学生だけが集まる教育機関にとどめたいのではないか。「オリンピックの決勝に進むアスリートは全員が優勝する能力があるのだから、金メダルはくじ引きで決めればいい」というような手法に、（サンデルが大好きな）「正義」や「公正さ」があるのかも疑問だ。

「われわれはどれほど頑張ったにしても、自分だけの力で身を立て、生きているのではないこと、才能を認めてくれる社会に生まれたのは幸福のおかげで、自分の手柄ではないことを認めなくてはならない」とサンデルは説く。そして、自分の運命が偶然の産物（遺伝ガチャの当たり）であることを身に染みて感じれば「ある種の謙虚さ」が生まれ、わたしたちを「能力の専制を超えて、怨嗟《えんさ》の少ない、より寛容な公共生活へと向かわせてくれる」のだという。こうしていつものように、「共通善」を達成するために熟議が必要だという話に（予定調和的に）着地する。

ヤングは、メリトクラシーの理想世界では、社会は「偽善者」と「ポピュリスト」に分断され、知識人はみな偽善者と見なされると述べた。メリトクラシー（知識社会）は「知能による専制」なのだから、そもそも「知識人」が「知識社会」を批判できるわけがない。

もちろんサンデルはきわめて賢いので、そのことをわかったうえで、「哲学芸人」のパフォーマンス（あるいはビジネス）として割り切っているのだろうが。

ヤングの作品では、メリトクラシーを告発する主人公の社会学者はポピュリストの暴動に巻き込まれて死亡し、その遺稿が発表されたことになっている。

14　以下は引用を含めマイクル・ヤング『メリトクラシー』（至誠堂選書）より。
15　安藤寿康『「心は遺伝する」とどうして言えるのか　ふたご研究のロジックとその先へ』創元社
16　以下の記述はマイケル・サンデル『実力も運のうち　能力主義は正義か？』（早川書房）より。
17　ハイエクの出典は『法と立法と自由』（春秋社）。

4 遺伝ガチャで人生が決まるのか?

アメリカの保育園で行なわれたとても興味深い実験がある。

子どもたちは、いつも世話をしてくれる(よく知っている)保育士と、はじめての(見知らぬ)保育士の映像を見せられた。どちらの保育士が好きか訊《たず》ねると、当然のことながら、子どもたちはよく知っている保育士が好きと答えた。

次に保育士が、珍しいモノに名前のラベルを貼るテストに挑み、正解か不正解かが示された。このとき、見知らぬ保育士はつねに正しいラベルを貼り、よく知っている保育士はすべて間違えた。

その後子どもたちは、知らないモノを見せられ、どちらの保育士にその名前を教えてもらいたいか訊かれた。

3歳の子どもは、テストの様子を見ても、やはりよく知っている保育士を好んだ。ところが4歳児は、よく知っている保育士に答えを訊くのをすぐにやめて、見知らぬ保育士を頼るようになった。[18]

メリトクラシーは人間の本能

なぜこのようなことになるのか。それは、「子どもは弱い」からだ。誰かれかまわず頼っているようでは、弱者は生きていくことができない。こうして小さな子どもでも、能力の高い者を素早く見分け、信頼するように「進化」した。生死にかかわる場面では、好き嫌いは二の次なのだ。

同じことは、中高生を対象にした研究でも示されている。生徒たちに教師の能力（ミスの直し方を示せたか、正しい情報を与えたか、クラスを手際よく導き監督できたか）を質問すると、その回答から学習の習得度を明確に予測できた。その教師が好きか嫌いかは習得度とは関係がなかった。

学習にとって重要なのは、子どもが教師の能力を信頼していることだ。たとえその教師が嫌われていても、生徒から有能だと認められていれば、そのクラスは習得度がもっとも高かった[19]。

私たちは、相手にどの程度の利用価値があるかを（無意識に）見積もっている。どれほど親切でも、なんの権力ももたず、たいした能力もない相手はほとんど役に立たないのだ。

これらの研究が示していることはきわめてシンプルだ。

どのような能力が重要と見なされるかは、時代や社会・文化によって異なるだろう。だがわたしたちは、有能な者に魅力を感じ、無能な者を避けるよう進化の過程で「設計」されている。すなわち、メリトクラシーは人間の本能なのだ。

日本人の3分の1は日本語が読めない

知識社会においては、当然のことながら、もっとも重要な能力は「知能」だ。問題なのは、知能の分布に大きなばらつきがあることだ。マイケル・ヤングがすでに60年前に見抜いたように、これはあまりに危険な事実なので、リベラルな社会は知能のちがいを「学力」で隠蔽し、「教育によって誰もが知能≒学力を伸ばせる」という壮大な教育神話をつくりあげた。

心強いことに、ヒトの知能（ＩＱ）は年々上昇しつづけているらしい。この現象は１９８０年代にジェームズ・フリンによって発見されたため、「フリン効果」と呼ばれている（近年では、先進国ではフリン効果が止まったともいわれる）。

先進国は教育に莫大な予算を投じ、さらに知能指数も上がっている。不吉なのは、それにもかかわらず、「初歩的な事務作業さえできない大人がたくさんいる」という調査結果が相次いでいることだ。

そのなかでももっとも大規模なのが、２０１１～12年にＯＥＣＤ（経済協力開発機構）が実施した「国際成人力調査」ＰＩＡＡＣ《ピアック》（Programme for the International Assessment of Adult Competencies）だ。

ヨーロッパでは若者を中心に高い失業率が問題になっているが、その一方で、経営者から「どれだけ募集しても必要なスキルをもつ人材が見つからない」との声があがった。プログラマーを募集したのに、初歩的なプログラミングの知識すらない志望者しかいなかったら採用のしようがない。そこで、失業の背景には仕事とスキルのミスマッチがあるのではないかということになり、実際に調べてみたのだ。

私がこの調査に興味をもったのは、その結果をどのように解釈しても、次のような驚くべき事実（ファクト）を受け入れざるを得ないからだ。[20]

①日本人のおよそ3分の1は日本語が読めない
②日本人の3分の1以上が小学校3～4年生以下の数的思考力しかない
③パソコンを使った基本的な仕事ができる日本人は1割以下しかいない
④65歳以下の日本の労働力人口のうち、3人に1人がそもそもパソコンを使えない

さらに驚くのは、この惨憺たる結果にもかかわらず、すべての分野で日本人の成績は先進国で1位だったことだ。[21] ＯＥＣＤの平均をもとにＰＩＡＡＣの結果を要約すると、次の

ようになる。

①先進国の成人の約半分（48・8％）はかんたんな文章が読めない
②先進国の成人の半分以上（52％）は小学校3～4年生以下の数的思考力しかない
③先進国の成人のうち、パソコンを使った基本的な仕事ができるのは20人に1人（5・8％）しかいない

アメリカ人の半分は仕事に必要なスキルをもっていない

アメリカ教育省は、仕事に必要な成人のリテラシーを計測するために、1985年、1992年、2003年に大規模な調査NAAL（National Assessment of Adult Literacy）を行なった[22]。

この「全米成人識字調査」では、「文章リテラシー」「図表リテラシー」「計算リテラシー」を得点によって「基礎未満」「基礎」「中級」「優秀」に分類している。たとえば「計算」では、その基準は次のようになっている。

基礎未満（Below Basic）　数字を2つ加えてATMの入金伝票を完成させる

基礎（Basic）　メニューの価格を見てサンドイッチとサラダの合計額を計算する

中級（Intermediate）　事務用品カタログの1ページと注文票を使って、注文する事務用品の合計額を計算する

優秀（Proficient）　社員の所得と家族の構成によって健康保険料の月額がどのように変化するかを示す表を使って、ある社員の年間の健康保険料を計算する

ここからわかるように、「基礎」的な能力（足し算ができる）だけでは一般的な事務作業にはまったく対応できない。事務の仕事に応募する最低限のスキルは「中級」以上なのだ（これは「文章」や「図表」も同様）。

図表2が、アメリカの成人の「仕事のリテラシー」だ。この調査結果が示すように、成人の3分の1から半分は、そもそも仕事に必要なスキルをもっていない。——より正確には、アメリカの成人の43％は文章課題で、34％は図表課題で、55％は計算課題で事務系の

図表2 全米成人識字調査（仕事のリテラシー）

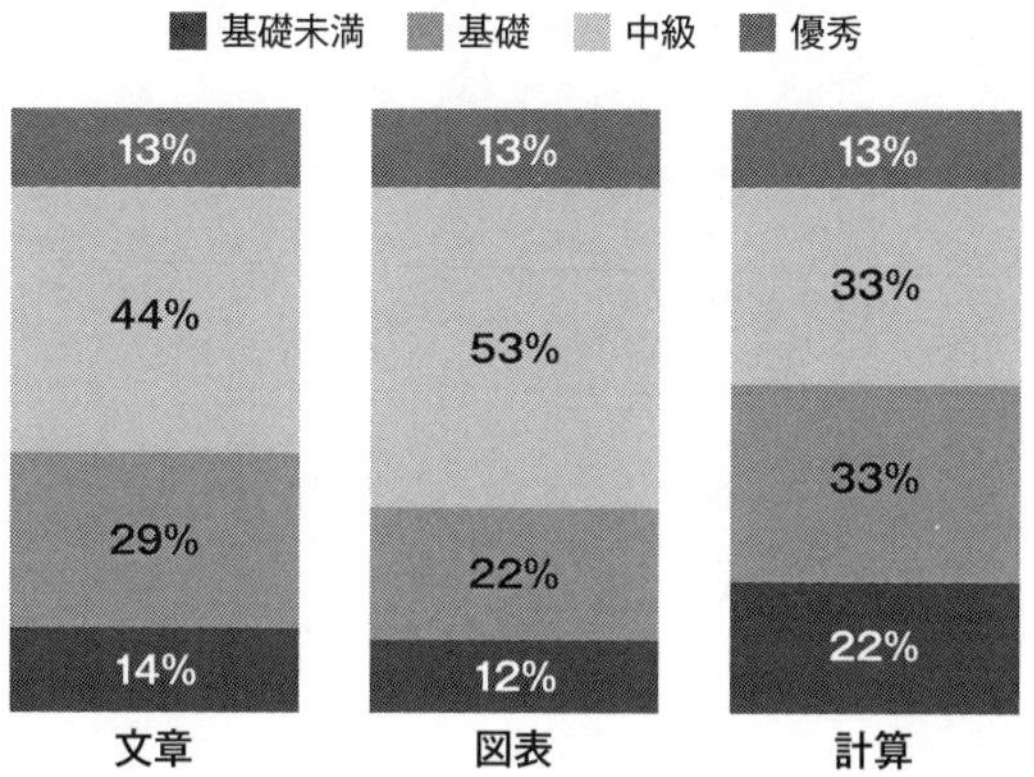

"Literacy in Everyday Life"より

図表3 計算課題における学歴別分布

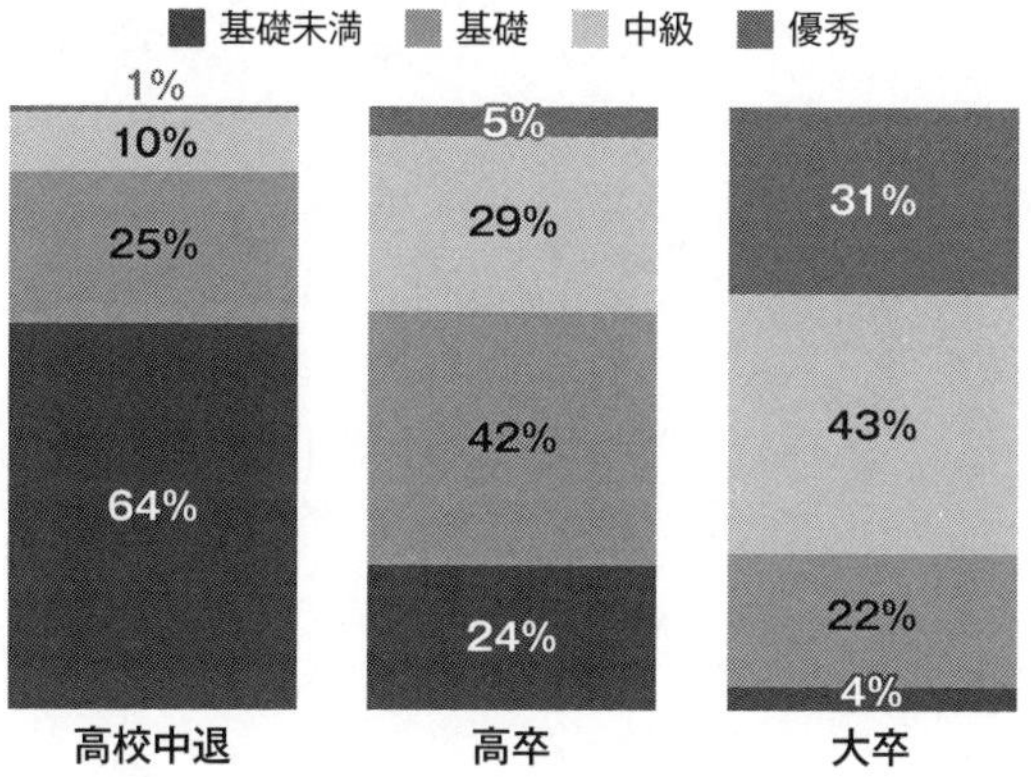

"Literacy in Everyday Life"より

仕事をする能力がない。

仕事のスキルは誰がもっていて、誰がもっていないのか。それを示したのが図表3で、計算課題の習熟度（「基礎未満」「基礎」「中級」「優秀」）の割合を、学歴（「高校中退」「高卒」「大卒」）別に集計している。

高校中退では、高度な事務作業に必要な計算スキルをもつ者は1％しかいないが、大卒は31％もいる。一方、高校中退では89％が一般的な事務作業に必要な計算スキルがないが、大卒では26％だ。

これを見れば、学歴による社会の分断が必然だとわかるだろう。知識社会というのは、定義上、知能の高い者が大きなアドバンテージをもつ社会であり、知識社会における経済格差は「知能の格差」の別の名前なのだ。

子育ての努力には意味がない

行動遺伝学は一卵性双生児と二卵性双生児のちがいをもとに、身体的特徴から性格や認知能力、身体的・精神的疾患まで、ヒトのさまざまな性質の遺伝と環境の影響を調べる学問分野で、半世紀以上にわたって膨大な研究を積み上げてきた。
行動遺伝学を語るときに欠かせないのが、2000年に行動遺伝学者エリック・タークハイマーが発表した「3原則」だ。

第1原則　ヒトの行動特性はすべて遺伝的である
第2原則　同じ家族で育てられた影響は遺伝子の影響より小さい
第3原則　複雑なヒトの行動特性のばらつきのかなりの部分が遺伝子や家族では説明できない

行動遺伝学がしばしば「遺伝決定論」だと誤解されるのは、第1原則（遺伝の影響は広範に及んでいる）と第2原則（子育ての影響とされているものの多くは親から子への遺伝である）しか見ていないからだ。より重要なのは第3原則で、「個性（わたしらしさ）には遺伝と子育て以外のなにかが強く影響している」とする。この〝なにか（ファクターX）〟が「非共有環境」だ。

行動遺伝学では、「こころ」を「遺伝率＋共有環境＋非共有環境」で説明する。

遺伝率は外見、性格、精神疾患などのさまざまなばらつき（分散）を遺伝要因でどれだけ説明できるかの指標で、身長や体重ではおよそ70～80％になる。共有環境は「きょうだいが同じ影響を受ける環境」のことで、一般には家庭環境（子育て）とされている。非共有環境は、当初は遺伝率と共有環境で説明できない「測定誤差」とされていたが、その値がきわめて大きいために「きょうだいが異なる影響を受ける環境」と定義し直された。

家庭内の非共有環境としては、「家族構成（生まれ順、性差）」「きょうだい関係（きょうだいへの嫉妬）」「子育て（子どもへの愛情のちがい）」などがあるが、きょうだいで親の接し方が異なるのは子どもの遺伝的特性によるかもしれない（手のかからない子どもにはやさしくし、手のかかる子どもはきびしくしつける）。

一方、家族外の非共有環境としては「学校や地元の友だち集団」「教師」「ソーシャルメディア」など一人ひとりが異なる体験をする環境が考えられる。そのなかでももっとも影響力の大きいのがピアグループ（友だち集団）で、発達心理学者のジュディス・リッチ・ハリスは、子どもの人格形成に決定的なのは「友だち集団内の地位争い（キャラづくり）」

だと述べて、「子育ての努力に意味はないのか」との論争を巻き起こした。[23]

これは現在に至るまでもっとも説得力のある非共有環境の説明だが、それがずっと無視されてきたのは、ハリスが博士課程を病気で中退した在野の研究者であること以上に、発達心理学や教育心理学にとってきわめて不都合だからだろう。既存の心理学は「幼児期の子育てが子どもの性格をつくる」ことを当然の前提としてきたが、ハリスはそれを真っ向から否定したのだ。

遺伝なのか、環境なのか

どちらが正しいかは、（認めるかどうかは別として）現在ではほぼ決着がついている。

図表4は、総計1455万8903人の双生児を対象とした1958年から2012年までの2748件の研究を2015年にメタ分析したもので、「パーソナリティ（性格）」「能力」「社会行動」「精神疾患」における遺伝率、共有環境、非共有環境の影響を推計したものだ。[24]

メタ分析（メタアナリシス）は、過去に独立に行なわれた複数の研究を統合し、ひとつの研究であるかのように解析する手法で、個別研究よりもはるかに信頼性の高いエビデンスとされる。ひとつの研究結果は、それとは異なる別の研究結果で否定できるが、メタ分析を否定するには学問分野全体を覆さなくてはならない。ここで紹介するのは、行動遺伝学のなかでもっとも大規模なメタ分析のひとつだ。

ざっと眺めてわかるように、ほとんどの項目で遺伝と非共有環境の影響が圧倒的に大きく、共有環境の影響はほとんどないか、きわめて小さい。

心理学や精神医学は、うつや摂食障害、適応障害などの原因を幼少期の子育て（とりわけ母親との愛着関係）に求めるが、共有環境の影響は無視できるほどしかない。計算や認知、言語などの学習にはわずかに共有環境の影響があるが、やる気や集中力は子育てとはまったく関係ないようだ。「仕事と雇用」や「親密な関係」のように、人生に決定的な影響を及ぼす性格特性にも共有関係はまったく影響していない。

近年、知能の遺伝率は幼少期では相対的に低く、思春期に向かうほど遺伝的な影響が増していくことがわかってきた。アメリカで「就学前教育」に大きな注目が集まったのはこのためで、逆にいえば、「学力に関しては、小学校に上がってからはなにをしてもムダ」

図表4 パーソナリティにおける遺伝率、共有環境、非共有環境の影響

パーソナリティ	遺伝率	共有環境	非共有環境
やる気	57%	0%	43%
集中力	44%	2%	55%
記憶	45%	3%	52%
計算	56%	13%	32%
認知	55%	18%	27%
言語	46%	22%	32%
学歴	50%	25%	26%
仕事と雇用	37%	0%	63%
親密な関係	35%	0%	65%
家族関係	28%	6%	66%
インフォーマルな社会関係	32%	59%	10%
子育ての問題	27%	34%	40%
基礎的な人間関係	30%	36%	34%
健康への気遣い	44%	13%	43%
宗教とスピリチュアリティ	36%	21%	43%
パーソナリティ障害	44%	1%	56%
感情の不安定性	35%	19%	46%
行動障害	48%	14%	38%
アルコール依存	44%	19%	38%
ドラッグ依存	46%	26%	29%
繰り返す抑うつ障害	52%	4%	44%
その他の不安障害	42%	9%	49%
恐怖不安障害	45%	10%	45%
摂食障害	38%	2%	60%
多動障害	68%	5%	27%
思春期の感情／行動障害	64%	7%	29%
幼児期に始まる感情障害	43%	20%	37%
ストレスと適応障害	33%	0%	67%
非気質的睡眠障害	45%	0%	55%
強迫神経症	46%	6%	48%
情緒障害	63%	6%	32%
広範囲の発達障害	70%	7%	23%
双極性障害	68%	14%	19%

Murray "Human Diversity"より抜粋

ということだ。[25]

例外的に共有環境の影響が大きいのは、「インフォーマル（私的）な社会関係」「子育ての問題」「基礎的な人間関係」だが、これはポジティブな影響ではなく、幼児期の虐待などで友人関係や恋愛関係をうまくつくれなかったり、自分の子育てに問題が生じるからのようだ。子育てはたしかに子どもの人格に影響を及ぼすが、それは「極端な領域でネガティブな差異をつくりだす」のだ。

「頑張れない」を許さない残酷な社会

わたしたちは暗黙のうちに、いまの社会が知能（学力）によって序列化されていることを受け入れているが、その一方で、社会的・経済的成功を決めるのはＩＱや学歴だけではなく、「コミュ力（話し方）」や「やり抜く力（GRIT）」、「人間力」だと思ってもいる。

その背景には、「知能だけがすべてではない（すべてであってはならない）」という信念、あるいは願望がある。こうして、「成功に重要なのは知能よりも自己コントロール力だ」「教育で知能を伸ばすことができないとしても、やる気（堅実性パーソナリティ）を高めることはできる」などの主張が登場する。

「成功」に対する知能の影響が100だとして、性格のうち堅実性が60、共感力が20、協調性が20の影響をもつとすれば、これらの（成功につながる）パーソナリティの総計も100になる。だとしたら、知能と性格はほぼ同じ比重になり、知能のちがいだけをいたずらに言い立てるのは（控えめにいえば）科学的な正確さを欠くし、（率直にいえば）許されない差別なのだ。

マイケル・ヤングがメリットを「知能＋努力」と定義したように、成功にとって努力などの性格特性が重要なのは間違いない。だがここで無視されているのは行動遺伝学の第1原則で、知能だけでなく努力にも遺伝の影響がある。図表4でも、遺伝率は「やる気」が57％、「集中力」が44％で、努力できるかどうかのおよそ半分は遺伝で決まる。

児童精神科医の宮口幸治は、ベストセラーとなった『ケーキを切れない非行少年たち』の続編である『どうしても頑張れない人たち』で、「頑張るひとを応援する」という善意の残酷さについて書いている。宮口が医療少年院などで出会う少年たちは、頑張りたいと思っているかもしれないが、それでも頑張れないのだ。

その原因のすべてが生得的なものだとはいえないが、幼児期の虐待や育児放棄など、本人の意志ではどうしようもないものがほとんどだ。そして宮口は、ほんとうに支援が必要なのは、わたしたちが支援したくないと思うような「頑張れない子どもたち」だという。

知能の影響を否定しようとするひとたちは、意志力のような「成功に役立つ性格」を過大評価し、「頑張る」ことを成功の条件とする。これを逆にいうと、「頑張れない（努力しない）ひと」は支援される資格がないのだ。

知能による選別を否定すると、その空白を、性格（頑張っているか、いないか）による選別が埋めることになる。テストの点数で序列化されるのと、性格（人間性）を否定されることの、どちらがより残酷だろうか。

「進化論的リベラル」へ

わたしたちは無意識のうちに、親（子育て）や教師（教育）が子どもの将来に決定的な影響を与えるはずだと思っている。だがさまざまなデータは、この信念（というより願望）にさしたる根拠がないことを示している。

子ども時代のことを思い出せば誰もが同意するだろうが、親（家庭）の影響が大きいのは幼少期までで、小学校高学年になれば友だちとのつき合いの方が大事になり、思春期を過ぎれば親の説教などどうでもよくなる。重要なのは親や教師からほめられることではなく、友だち集団のなかで注目され、よりよい（より多くの）性愛を獲得することなのだ。

だが大人になると、なぜかこうした体験を忘れてしまうらしく、子育てや教育の影響を（とんでもなく）過大評価するようになる。

近年では教育現場でカウンセリング、チューター制度、学校外活動、ジョブトレーニングなどさまざまな試みが行なわれている。これらはどれも子どもたちの「非共有環境」に介入しようとするもので、行動遺伝学の知見では、子どもの選択・行動は遺伝だけでなく非共有環境が強く影響するのだから、考え方としては間違ってはいない。

ところが、こうした努力はどれも期待ほどの成果をあげていないようだ。その理由は、とても単純な理由で説明できる。子どもたちは「教育」以外のほとんどの時間を他の非共有環境、すなわち友だち集団のなかで過ごしているのだ。

10代の若者がカウンセラーと1時間話したとして、部屋から一歩出れば「友だちの世界」が待っている。だとしたら、ほんのわずかな「介入」にどれほどの効果があるだろうか。

子どもの選択・行動に外部から大きな影響を与えたいのなら、養子に出す、他の地域に引っ越す、転校するなど、非共有環境をまるごと変えるような介入が必要になる。

1990年代にアメリカで行なわれた社会実験では、裕福な地区への引っ越しをともなう経済援助を受けたグループでは、13歳以下だった子どもが20代半ばに達したときの収入が（なんの援助も受けなかった対照群の子どもより）約3分の1以上高くなり、8歳児が受けた利益は生涯収入で30万ドル（約3000万円）と見積もられた。子どもが大学に進む確率は6分の1高く、大学のランクは大幅に上がり、貧しい地域に住む割合やシングルマザーになる確率も低かった[26]。

子どもの人格形成に環境要因が大きな影響力をもつのは友だち関係の全面的な変化をともなうときで、〝ビリギャル〟のような事例は、もともと素養のある子どもを発掘する以上の意味はないのだろう。

行動遺伝学の知見によれば、遺伝率はよい方向でも悪い方向でも「極端」になるほど高くなる。並外れた才能も、世間を震撼させる凶悪犯罪も、いまでは遺伝的な要因が大きいことがわかっている。

だがこれは逆にいえば、平均付近のほとんどのひとにとっては、「氏（遺伝）が半分、育ち（非共有環境）が半分」ということだ。人生のあらゆる場面に遺伝の影が延びているから、自由意志に制約があることは間違いないとしても、だからといって生まれ落ちた瞬間にすべてが決まっているわけではなく、自分の手で運命を（ある程度）切り開いていくことはできるはずだ。

これからの時代に求められているのは、こうした不都合な事実（ファクト）を受け入れたうえで〝よりよい社会〟を構想する「進化論的リベラル」なのではないだろうか。

18 Kathleen Corriveau and Paul L. Harri (2009) Choosing your informant: weighing familiarity and recent accuracy, *Developmental Science*

19 デイヴィッド・デステノ『信頼はなぜ裏切られるのか　無意識の科学が明かす真実』白揚社

20 拙著『もっと言ってはいけない』（新潮新書）参照。ＰＩＡＡＣの問題例を含むより詳しい説明は拙著『文庫改訂版　事実VS本能　目を背けたいファクトにも理由がある』（集英社文庫）を参照。

21　より詳細に見るとそうともいえない。16～24歳の数的思考力では日本はオランダとフィンランドに抜かれて3位、ＩＴスキルでは、パソコンを使えず紙で解答した者を加えた総合順位ではＯＥＣＤ平均をわずかに上回る10位、16～24歳では平均をはるかに下回る14位まで落ちてしまう。

22　American Institutes for Research（2007）Literacy in Everyday Life: Results From the 2003 National Assessment of Adult Literacy, *U.S. Department of Education*

23　ジュディス・リッチ・ハリス『子育ての大誤解　重要なのは親じゃない〔新版〕』ハヤカワ文庫ＮＦ

24　Tinca J C Polderman, Beben Benyamin, Christiaan A de Leeuw, Patrick F Sullivan et.al（2015）Meta-analysis of the heritability of human traits based on fifty years of twin studies, *Nature Genetics*／ここではCharles Murray（2020）*Human Diversity: The Biology of Gender, Race, and Class*, Twelve掲載のデータを抜粋した。

25　ジェームズ・Ｊ・ヘックマン『幼児教育の経済学』東洋経済新報社

26　Raj Chetty, Nathaniel Hendren & Lawrence F. Katz（2015）The Effects of Exposure to Better Neighborhoods on Children: New Evidence from the Moving to Opportunity Experiment, *The American Economic Review*／マシュー・Ｏ・ジャクソン『ヒューマン・ネットワーク　人づきあいの経済学』早川書房

PART 3

経済格差と性愛格差

5 絶望から陰謀が生まれるとき

トランプ前大統領の「選挙は盗まれた」「議事堂に行って、勇敢な議員を励まそう」との演説に扇動され、アメリカ連邦議会議事堂を占拠した熱狂的なトランプ支持者たちは、Qアノンなる陰謀論を信じているという。Qアノンは、「アメリカはディープステイト（闇の政府）に支配されていて、トランプはそれと闘っている」と主張している。

じつは、この衝撃的な事件を1年以上前に予言していた映画がある。それが、2019年に公開された『ジョーカー』（トッド・フィリップス監督、ホアキン・フェニックス主演）だ。

「白人差別」のレイシズム

『ジョーカー』の主人公アーサー・フレックは30代と思しき白人男性で、スタンダップコメディアンを目指しながらも、閉店セールの宣伝で道化役をするくらいしか仕事がない（その仕事も不良たちに看板を奪われて失ってしまう）。老朽化したアパートに母親と2人で暮らしているが、母親は認知症で、自身も突発的に笑いが止まらなくなる病気を患っている。

アーサーには向精神薬が必要で、処方箋を書いてもらうため定期的に福祉施設のセラピストと面談している。黒人女性のセラピストに対して、アーサーは「自分はまるで存在していないかのようだ」と繰り返し訴える。

それ以外にも『ジョーカー』には、アーサーが黒人と会話する場面が何度か出てくる。バスのなかで黒人の子どもに「いないいないばあ」をしたことで、母親から「うちの子にかまわないで」ととがめられる。アパートのエレベーターで偶然、若いシングルマザーの黒人女性と短い会話を交わし、その女性が同じ階に住んでいることを知る。病院に母親のカルテを見に行ったときは資料係の黒人男性が対応し、映画の最後、精神科病院に収容されたアーサーは黒人女性の精神科医の診察を受ける。

最近のハリウッドは人種多様性が重視されるので『ジョーカー』に黒人が出てくるのは不思議ではないが、その登場には一貫した規則（ルール）がある。黒人はアメリカ社会では少数派（マイノリティ）だが、アーサーが出会う黒人は、全員がほんのすこしだけ恵まれているのだ。

バスで出会った黒人の母親は、貧しい暮らしをしているかもしれないが家族がいる。セラピストと精神科医は専門職の仕事で、病院の資料係として働く黒人男性は（少ないとしても）安定した給料を受け取っている。同じ階の黒人女性も、貧しいながらも働いて子どもを育てている。すなわち誰もが社会のなかで、仕事を通して、あるいは家族と共にいることで、自分の居場所をもっている。

それに対してアーサーは仕事を失い、認知症の母親は一方的に甘えるだけで相談相手になってはくれず、自分がこの世界に「存在」しているかどうかすらあやふやになっている。

これが意図的な演出かどうかはわからないが、マジョリティである白人男性のアーサーは、マイノリティである黒人のさらに「下」にいるのだ。

トランプの岩盤支持層である「白人至上主義者」は、白人の人種的優越を主張しているわけではない。それとは逆に、自分たちこそがアメリカ社会でもっとも差別され、虐げられているのだと思っている。彼らは「白人マイノリティ」を自称し、「白人差別」の人種主義（レイシズム）と闘っているのだ。

このように考えれば、映画『ジョーカー』がアメリカのリベラルから警戒された理由がわかるだろう。白人のアーサーを「最底辺」にしたことで、その設定は白人至上主義者の世界観（黒人は自分たちより優遇されている）に危険なほどよく似たものになったのだ。

「下級国民の王」トランプ

仕事仲間から護身用にと拳銃を渡されたアーサーは、ピエロとして派遣された小児病棟でそれを落としてしまい、会社から解雇される。失意のなか、こんどは地下鉄車内で金融機関のエリートビジネスマンにからまれ、彼らを射殺してしまう。

そこからすべての歯車が狂いはじめ、子ども時代の虐待を見て見ぬふりをしていた母親を窒息死させたあと、ひそかに好意を抱いていた同じ階に住む黒人のシングルマザー、ソフィーの部屋に押し入る。映画ではそこでなにが起きたのかいっさい描かれていないが、このあと、アーサーはジョーカーへと変貌していく（アメリカの映画評では、アーサーは母親と子どもを殺したのだとしていた）。

ピエロのメイクでテレビのトークショーに出演したアーサーは、自分のような社会不適合者は差別され排除されるだけだと演説してロバート・デニーロ演じる司会者を射殺、警察に逮捕されるが、テレビを観ていた市民たちが暴動を起こして街は騒乱状態になる。

警察署に連行される途中、ピエロの仮面を被った男たちが救急車をパトカーに激突させ、意識を失ったアーサーをボンネットに横たえる。やがて眼を覚ましたアーサーは立ち上がって優雅に踊りはじめ、群衆はそれを歓喜で迎える——。

暴徒はピエロの仮面をかぶっているが、それが白人の集団であることは明らかだ。「下級国民」のアーサーは交通事故で死に、「下級国民の王」ジョーカーとして復活したのだ。

現実が虚構のあとを追うように、連邦議会議事堂占拠事件は、映画のこの場面を再現しているかのようだ。

ドナルド・トランプは日本では「不動産王」で「アメリカン・ドリームの体現者」と思われているが、ドイツからの移民三世で、アメリカの上流階級であるWASP（建国の前後に移住したイギリス系プロテスタントの白人）ではなく、父親はニューヨークの「二流地区」であるクイーンズの低所得者用アパートを開発して成り上がった。トランプ父子がマンハッタンの中心、5番街にトランプタワーを建てることに執着したのは、自らの「下賤」な出自を払拭するためだ。[27]

ジャーナリストのマイケル・ウォルフは、次のような印象的なエピソードを紹介している。[28]

億万長者の友人とその連れの外国人モデルとともに自家用飛行機で出先から戻る途中、トランプは友人のデートに水を差そうと、アトランティックシティに立ち寄って、自分が経営するカジノに案内しようと言い出した。友人はアトランティックシティに見るべきものなどなく、いるのは白人のくず（ホワイト・トラッシュ）ばかりだといった。

「〝ホワイト・トラッシュ〟って何?」とモデルが尋ねた。
「私みたいな連中のことだよ」とトランプが答える。「ただし、私と違って貧乏だがね」

2021年1月6日、〝不正〟な選挙でその地位を奪われた「下級国民の王」ドナルド・トランプを戴冠させるために、白人の陰謀論者たちは連邦議会議事堂を襲い、悪のシステム(ディープステイト)に反乱を起こしたのだ。

「絶望死」というパンデミック

世界じゅうで平均寿命が延びているのに、アメリカの白人労働者階級(ホワイトワーキングクラス)だけは平均寿命が短くなっている。この奇妙な事実を発見した経済学者のアン・ケースとアンガス・ディートンは、その原因がドラッグ、アルコール、自殺だとして、2015年の論文でこれを「絶望死(Deaths of Despair)」と名づけた。その翌年にドナルド・トランプが白人労働者階級の熱狂的な支持を受けて大統領に当選したことで、この論文は大きな注目を集めた。
「絶望死」とは、「死ぬまで酒を飲み続けたり、薬物を過剰摂取したり、銃で自分の頭を撃ち抜いたり、首を吊ったりしている」ことだ。2人はその後、膨大な統計データを渉猟《しょうりょう》し、アメリカ社会で起きている「絶望死」の実態を詳細に描き出した。[29]

ケースとディートンの共著『絶望死のアメリカ』の主張をひとことでまとめるなら、「アメリカの白人は高学歴と低学歴で分断されている」になる。この本では、アメリカ社会で大卒の資格をもたない白人がどれほどの苦境に追いやられているかの残酷な現実が、多くの印象的なグラフとともに、これでもかというほど示されている。

ここでいう「高学歴」は4年制大学を卒業あるいは大学院を修了した者で、高卒・高校中退だけでなく、大学に入学したものの卒業できなかったり、2年制のコミュニティ・カレッジを卒業した者も「低学歴」に分類されている。——昨今では「高学歴／低学歴」の用語は不適切とされているようなので、以下の記述では「大卒／非大卒」で統一する。

ケースとディートンは自分たちの目的を、「戦場を解剖する」ことだとしている。そこには、非大卒の白人アメリカ人が「戦死」しているとの含意がある。

2017年には15万8000人のアメリカ人が絶望死した。これは「ボーイング737MAX機が毎日3機墜落して、乗員乗客が全員死亡するのと同じ数字」だ。

絶望死が始まったのは1970年代で、1990年代以降に顕著になった。著者たちの試算では、非大卒白人の死亡率が他の先進国（あるいはアメリカ国内の他の集団）と同じように改善していれば生きていたであろう中年アメリカ人の数は60万にのぼる。新型コロナウイルスによるアメリカの死者は2021年6月時点で約60万人。絶望死はそれに匹敵する「パンデミック」なのだ。

非大卒は大卒より2倍も死んでいる

ケースとディートンが膨大なデータから描きだす絶望死の実態は驚くべきものだ。

ケンタッキー州における「自殺、薬物過剰摂取事故、アルコール性肝疾患」による死亡率は、1990年以降、大卒白人の死亡率がほとんど変わらないのに対し、非大卒白人は、1995年から2015年の20年間に10万人あたり37人から137人へと約4倍に増えている。

1999年から2017年のあいだに45～54歳の白人死亡率がもっとも大きく増えたのはウェストバージニア州、ケンタッキー州、アーカンソー州、ミシシッピ州で、どの州も教育水準は国の平均より低かった。中年死亡率が顕著に下がったのはカリフォルニア州、ニューヨーク州、ニュージャージー州、イリノイ州だけで、これらの州はすべて教育水準が高い。

アメリカには、ロッキー山脈に沿って南のアリゾナから北のアラスカまで走る「自殺ベルト」がある。自殺率がもっとも高いのはモンタナ、アラスカ、ワイオミング、ニューメキシコ、アイダホ、ユタで、もっとも低い6州はニューヨーク、ニュージャージー、マサチューセッツ、メリーランド、カリフォルニア、コネティカットの教育水準が高い東部、西海岸諸州だ。ここでも、大卒／非大卒の学歴のちがいが顕著に現われている。

学歴が低い男性は以前からアルコール、薬物、自殺で死ぬ可能性が高かったが、その割合は時代とともに高まり、1992年と比べると絶望死は3倍にもなった。一般に女は男より自殺率が低いが、絶望死の特徴は、非大卒の女の死亡率も（男より低いものの）やはり上昇していることだ（図表5）。

生まれた年による絶望死の推移は、コホート（出生年ごとの集団）によって示される。大卒白人にコホートによる死亡率のちがいがほとんど見られないのに対し、非大卒の白人は１９３５～45年生まれまでは死亡率が大卒とほとんど変わらず、１９５０年生まれから死亡率が上がりはじめ、それ以降、５年刻みで高くなる。

20歳で働きはじめるとすると、１９５０年代から60年代に就職した世代は非大卒でも絶望死を免れていたが、それ以降は社会に出る時期があとになるほど絶望死の割合が高くなっていく。45歳になったときの死亡率で見ると、１９６０年に生まれた非大卒白人は１９

図表5 アメリカの白人中年層（45～54歳）の薬物、アルコール、自殺による死亡率

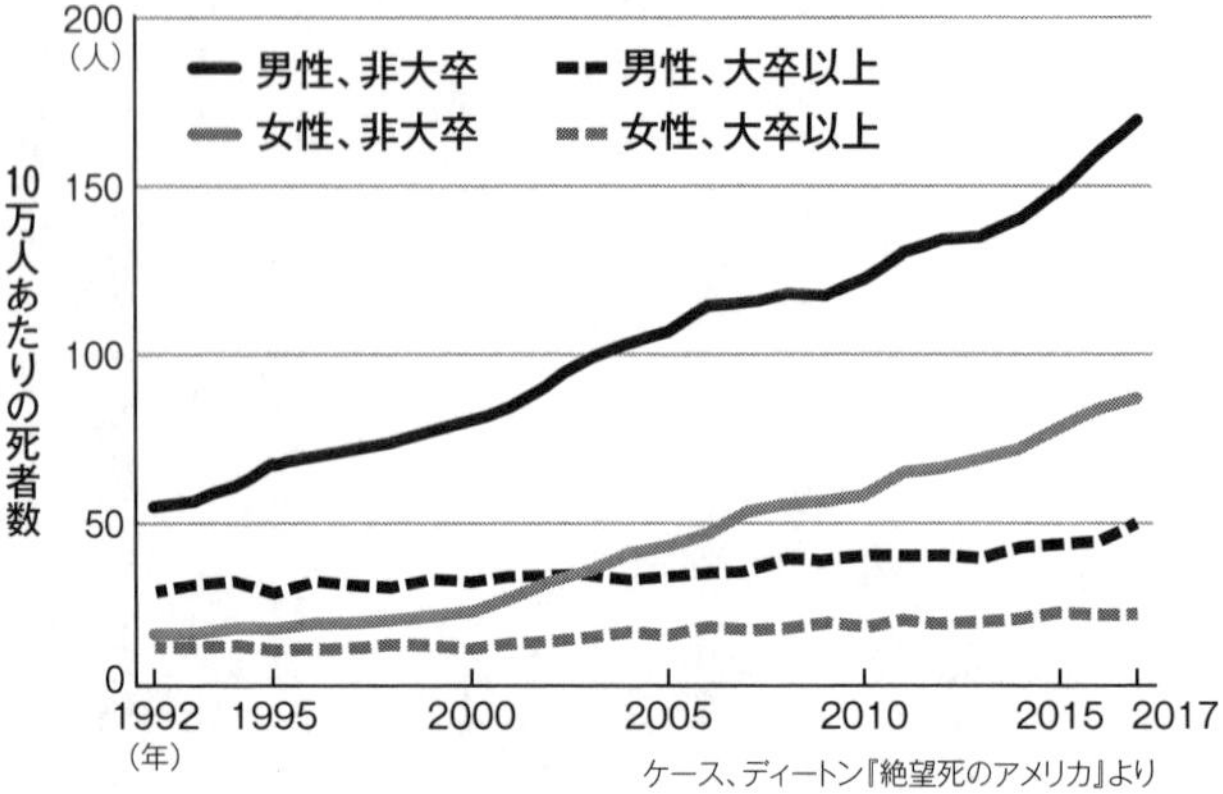

ケース、ディートン『絶望死のアメリカ』より

50年生まれより死亡リスクが50％も高く、1970年生まれは2倍（100％）も高いリスクにさらされている。

1980年生まれや85年生まれは調査時点では45歳に達していないが、死亡率は1970年生まれよりもさらに上がっている。このことは、白人労働者階級の絶望死が中高年だけの問題ではないことを示している。今後、若者たちが高齢化していくとともに、死者の総数も確実に増えていくのだ。

経済格差は諸悪の根源ではない

非大卒の白人はなぜ絶望死しているのか。主要な死因のひとつは、当然のことながら健康だ。非大卒では、現代に近づけば近づくほど健康状態が悪化している。40歳時点で「健康状態が悪い」と申告する割合は1993年の8％から2017年の16％へと四半世紀の間に倍増した。その結果、非大卒の白人では「買い物や映画に出かけるのがつらい」と答える割合と「家でくつろぐのがつらい」と答える割合が25～54歳の年齢層で50％増えていて、「友人との交流がつらい」と答える割合は20年間で倍ちかくになった。

アメリカでは、1億人以上が（最低3カ月は続く）慢性的な痛みをわずらっており、これがオピオイド（モルヒネやヘロインと同じくケシからつくられる合成化合物で、鎮痛・陶酔作用がある）の乱用を引き起こした。オピオイド系の鎮痛薬は医師が処方するにもかかわらず、2016年には4万2000人が死亡するという「公衆衛生上の大惨事」になっている。

日常的な痛みに悩まされていて、買い物ばかりか家でくつろぐことすらつらいのなら、仕事をするのは難しいだろう。実際、非大卒の白人では「働けない」と自己申告した割合が1993年の4％から2017年には13％にまで増えた。

それ以前に、非大卒が働こうと思っても職自体がないという現実がある。

1979年から2017年の約40年間でアメリカの1人あたり国民所得は85％伸びているが、非大卒の白人男性の平均収入は逆に減少し、13％も購買力を失った。リーマンショック後の2010年1月から19年1月の間に1600万ちかい雇用が生まれたが、そのうち非大卒が就ける仕事は300万にも満たなかった。

健康状態が悪く、働いていないか収入が低く、将来性のない男性は、結婚相手にはふさわしくない。こうして低学歴の白人男性の婚姻率が下がる一方で、低学歴の白人女性の大半がすくなくとも1人は婚外子を生んでいる。

こうしたデータを挙げながら、ケースとディートンは、白人労働者階級を苦しめているのが「全面的な人生の崩壊」であることを説得力をもって示す。「仕事が破壊されれば、最終的に、労働階級は生きていけなくなる。人生の意義、尊厳、誇りを失い、婚姻関係やコミュニティを失うことで自尊心も失い、それが絶望をもたらす」のだ。

ケースとディートンは、「経済格差は諸悪の根源ではない」という。

単純な事実として、アメリカにおける所得の不平等が著しく拡大したのは1970年以降だが、この時期はアメリカ社会で死亡率が急減し、平均余命が急速に延びはじめていた時期にあたる。経済格差の拡大と不平等が社会全体の健康に害を与えるのなら、平均余命は短くなるはずだが、そのようなことは起きていない。

さらにアメリカの州ごとに比較すると、絶望死の〝エピデミック〟はニューヨークやカリフォルニアのような「ゆたかだが不平等の大きな州」で少なく、ラストベルトにある「貧しいが不平等はさほど大きくない州」で広まっている。経済格差原因説では、この事実が説明できない。

「貧困」もまた、絶望死の主犯と考えることはできない。アメリカ社会における（貧困ライン未満の所得で暮らす）貧困世帯の割合は1990年代を通じて減っており、2000年には総人口の11％まで下がった。絶望死はまさにこの期間に増えているのだから、貧困とはまったく相関していない。

だとしたらいったいなにが原因なのか？　ケースとディートンは、「絶望死の原因の大半が低学歴アメリカ人から長期的に機会が奪われたことにある」という。「機会」というのは、働く機会であり、恋人をつくり結婚し、子どもを産み育てる機会であり、幸せな人生を手にする機会であり、「自分らしく」生きて自己実現する機会だ。

「黒人化」するプアホワイト

かつて白人の保守派は、黒人のコミュニティが崩壊し母子家庭が急増したことを、「家族の価値を放棄した自己責任」とみなし、貧困層が生活保護に頼って暮らすことを「福祉の女王」と罵倒した。しかしいまや、白人労働者階級のコミュニティは崩壊し、10代の女性は父親のいない子どもを産み、職を失った大人たちは社会保障や障害保険の受給対象になっている。こうした現象をひと言でいうならば、「プアホワイトの黒人化」だ。

白人保守派がアファーマティブアクションを批判するのは、すべての国民が同じスタートラインでフェアに競争し、その結果を受け入れることが「アメリカの精神」だと考えているからだ。しかしこの「自己責任論」によって、彼らは逃げ場を奪われてしまう。知識社会での「公正な競争」の結果、仕事を失い、ドラッグとアルコールに溺れ、生きていく希望を失ったとしても、それもすべて「自己責任」なのだ。

ケースとディートンは、非大卒の白人は、1970年代から80年代にかけて都市部の黒人が体験したことを30年遅れて追体験しているという。知識社会の高度化によって最初に黒人の雇用が破壊され、次いで非大卒白人の雇用が消失したのだ。

その結果、「白人よりも黒人の方がうまくやっている」という奇妙なことが起きた。

新型コロナによって、人種別の平均寿命はヒスパニックで2年、黒人で3年縮んだとされる。これは大惨事だが、それ以前でも黒人の死亡率は白人よりずっと高かった。

だがケースとディートンが強調するのは、(コロナ前は)その差が一貫して縮小していることだ。「1970年から2000年にかけて、黒人の死亡率は白人よりも大きく減少し、21世紀の最初の15年を見ると、労働階級白人の死亡率が増えている一方で、黒人のそれは下がっている」。その結果、1990年代初頭までは白人の2倍（100％）以上だった黒人の死亡率は20％まで縮まった。

アフリカ系アメリカ人は、白人よりもずっと自殺しにくい。中年期の黒人自殺率はこの50年でほとんど変わっておらず、現在も白人の約4分の1だ。同様に、ヒスパニックは白人より平均的にはずっと貧しいが、死亡率は非大卒白人よりも低い。

図表6は白人と黒人の絶望死の比較で、2000年以降、非大卒の黒人の死亡率があまり変わらないのに対し、非大卒白人の死亡率が急増している（この5年ほどで非大卒黒人の死亡率が上昇しているのはフェンタニルという危険な合成麻薬が流行したためだという）。大卒以上でも状況は同じで、この20年は白人より黒人の方が絶望死の割合が低い。

さらに興味深いのは、40歳を過ぎると、学士号をもたない黒人の自己評価が非大卒の白人より高くなることだ。そればかりか、大卒／非大卒にかかわらず、黒人は白人に見られるような中年期の落ち込みを経験していない。

図表6 アメリカの中年層(45~54歳)の薬物、アルコール、自殺による死亡率

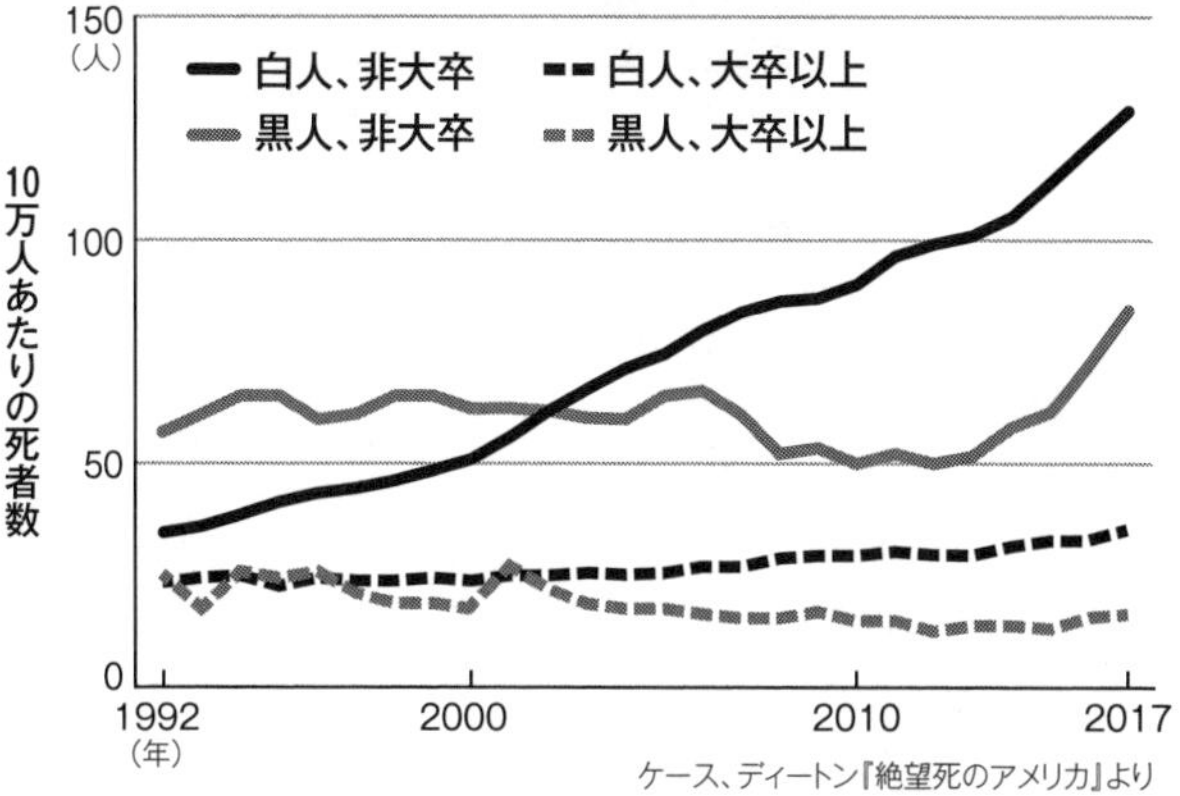

ケース、ディートン『絶望死のアメリカ』より

これらのデータは、「黒人の人生は多くの側面で改善していて、その一方で低学歴白人の人生は悪化している」ことを示しているが、これは政治的にきわめて微妙な問題を提起する。トランプを支持する「白人至上主義者」たちは、「白人労働者階級は差別されるマイノリティ」で「自分たちこそが犠牲者」だと主張しており、その正しさを追認することになりかねないのだ。

これについてケースとディートンは、マンガ『ドゥーンズベリー』の8コマを引用するにとどめる。マンガでは、新聞を読んでいた白人のレイが黒人のBDに対して、（自分のような）中年白人の死亡率が上がっているの

に、黒人やラテン系には影響がないのは変だと述べる。それに対してＢＤは、「変じゃないさ」「黒人はずっとそう。もう慣れっこさ」と反論する。レイが「黒人特権か」と訊くと、ＢＤが「そう、ある意味、幸運」と述べる。

政治学者チャールズ・マレーは、行動計量学者リチャード・ハーンスタインとの共著〝The Bell Curve（ベルカーブ）〟を１９９４年に出版し、知識社会が知能（ＩＱ）によって分断されていることを膨大なデータで示した。これが全米に憤激の嵐を巻き起こしたのは、人種（ヒト集団）によってＩＱにちがいがあり、白人とアジア系が高く、黒人とヒスパニックが低いことが、黒人などマイノリティに貧困層が多い理由だと述べたからだ。

その後マレーは、政治的な議論を避けるために対象を白人層に限定して、高学歴層と低学歴層でまったく異なる人生を送っていることを明らかにした。[30] マレーは（リベラルから「レイシスト〈人種主義者〉」と批判される）保守派の思想家だが、ケースとディートンの仕事は、リベラルな知識人（ディートンはノーベル経済学賞受賞）が「社会を分断するのは人種ではなく知能だ」というマレーの主張を（ようやく）追認し、精緻化したものでもある。

日本の非大卒は「教育」に期待しなくなった

社会学者の吉川徹《きっかわ》は、2015年のSSP（階層と社会意識全国調査）などに基づいて、日本社会は「大卒／非大卒」で分断されていると指摘した。[31]「アメリカ社会が学歴によって分断されている」というケースとディートンの主張とまったく同じだが、これは偶然ではない。アメリカや日本だけでなく、他の先進諸国や新興国でも同様の現象が起きているのは、知識社会がメリット（知能＋努力）によって労働者を選別しているからだ。

SSPは、「子どもには、大学以上の教育を受けさせるのがよい」という意見への賛否を訊いている。20～59歳の「現役世代」がどう答えたのかを年齢ごとに示したのが図表7だ。[32]

大卒層では、年齢ごとの大学進学志向のちがいはほとんど見られず、20代から50代まで70％台前半から80％台前半の範囲に収まっている。大卒の7～8割は、自分の子どもも大学に通わせたいと考えている。

一方、非大卒はというと、大学進学志向が50％前後にとどまっているばかりか、年齢によってかなりのちがいがある。40代、50代の非大卒の親の60％ちかくが子どもには大学教育を受けさせたいと考えているのに対し、20代と30代の非大卒の大学進学志向は50％を割り込み、20代後半では40％程度まで下がる。その結果、大卒／非大卒の差は30ポイントちかくまで拡大している。

このデータを詳細に分析した吉川は、「大学進学志向には大卒／非大卒の学歴による明確な「温度差」があり、特に現在の若年層では、この学歴差が前の世代よりも明瞭になっている」と述べている。若者世代ほど、非大卒は大学について「冷めた意識」をもっている。彼ら／彼女たちは、自らの選択として大学に進学せず、だからこそ子どもたちに大学教育を受けさせることにも関心がないのだ。

アメリカの調査では、高校生の66％が「毎日」授業で退屈しており、17％は毎日「すべての」授業で退屈している（授業が退屈でないという生徒はわずか2％だった）。内訳を見ると、82％が「授業に関心がない」、41％が「授業内容が自分と関係ない」からと答えている。

中学生に電子端末を渡し、リアルタイムで彼らの気持ちをとらえようとした調査では、

図表7 年齢ごとにみた大学進学志向の学歴差

子どもには、大学以上の教育を受けさせるのがよいと思うか
（「そう思う」）＋「ややそう思う」回答率）

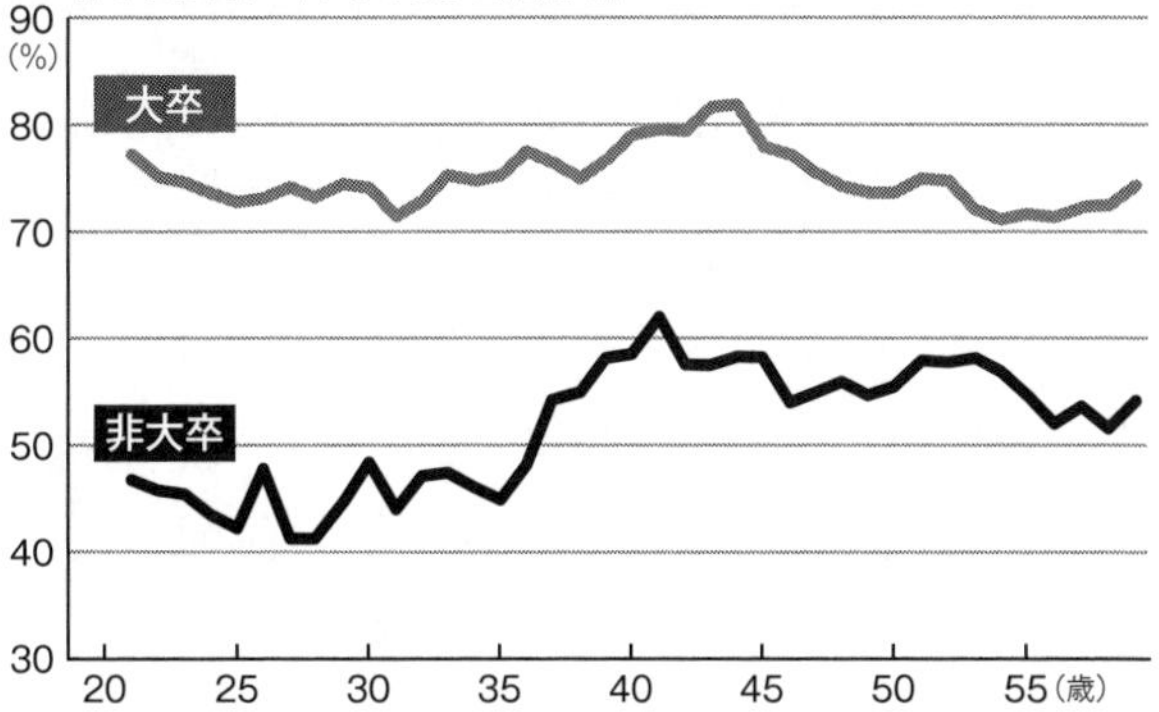

吉川徹「非大卒若者の大学離れ「学歴分断のソフトウェア」」より

生徒たちは授業時間の36%で退屈を感じ、授業以外の活動時間でも17%で退屈していた。生徒の3人に1人が授業に、ほぼ5人に1人が学校そのものに関心がない。[33]

　高等教育は、一部の知能の高い子どもには利益をもたらすだろうが、授業や学校に適応できない子どもにとっては苦痛でしかない。だが知識社会は、教育で得をした人間（エリート）が支配しているので、この事実はなかったことにされている。

「大学無償化」はリベラルに人気のある政策だが、それは非大卒の納税者から取り立てた税金を、大卒の子どもたちの学費に充てることだ。はたしてこれが正当化できるだろうか。

大卒エリートの所得も増えなくなった

知識社会の高度化にともなって、アメリカでは1970年代に黒人が労働市場から脱落し、次いで低学歴の白人労働者階級の絶望死が始まった。そしていまや、プアホワイトの苦境から20～30年遅れて、大卒・高学歴層の収入も上がらなくなってきた。

仕事に対して学歴が高すぎるのが、「学歴過剰」だが、労働経済学では、受けた教育に比べて仕事の内容が不十分なことを「不完全就業」と呼ぶ。アメリカの労働経済学者たちは、不完全就業（学歴過剰）を大きく3つの方法で計測している。[34]

「非典型教育法」では、受けた教育が就いた職業に対して並外れて高いかどうかを調べ、不完全就業率は10～20％だ。

「自己報告法」では、研究者が労働者に、自分の職業に対して受けた教育が過剰か、不足しているか、十分かを質問する。この方法では、不完全就業率は20～35％になる。

「職務分析法」では、研究者が職業を一つひとつ解剖し、その職業に「本当に要求される」教育程度を判断したうえで、労働者の教育がその要件に対して過剰かどうかを確認する。不完全就業率は20～35％だ。

不完全就業の割合がこれほど高いと、レジ係（大卒者が就いている仕事の上位48位）やウェイター（50位）として働く大卒者の方が機械技師（51位）より多いのも不思議ではない。同様に、警備員（67位）や用務員（72位）として働く大卒者はネットワークシステム／コンピュータシステム・アドミニストレーター（75位）より多く、料理人（94位）やバーテンダー（99位）として働く大卒者は司書（104位）より多い。

アメリカの大卒者の不完全就業率は年々上がってきている（2000年の25・2％から2010年には28・2％に上昇した）。リーマンショック後の世界的な不況では、最若年の大卒者の不完全就業率は40％に迫った。アメリカの高学歴の若者たちは、学歴にふさわしい仕事がないという大きな不満を抱えている。

人類学者で数学者でもあるピーター・ターチンは、高等教育が充実して大卒エリートの数が増えても、政財官界での高い地位は限られているとして、「憧れの仕事に就けない末端エリート」の鬱憤が募っているという。[35] 黒人からプアホワイトへと広がった知識社会の「パンデミック」が高学歴層に及びつつあることで、「レフト（左翼）」や「プログレッシブ（進歩派）」と呼ばれる怒れる若者たちが登場した。この「不満だらけのエリート・ワナビーズelite-wannabes（エリートなりたがり）」は、民主社会主義者のバーニー・サンダースを熱狂的に支持し、資本主義を否定し、「理不尽な社会（無理ゲー）」のルールを変えることを求めている。

脳は陰謀論で思考する

オウム真理教の信者やQアノンの信奉者を見て、わたしたちは「なぜあんな陰謀論にハマるのか」と疑問に思う。だがこれは、そもそも問いの立て方が間違っている。

人類が数百万年のあいだ生きてきたのは「近代化以前」の世界で、頼るものは経験と単純な因果論しかなかった。科学的な世界観が確立したのはせいぜい400年ほどで、人類史の0・01％程度にしかならない。わたしたちの祖先は、日食や月食が地動説で説明できることも、感染症が病原菌やウイルスによって引き起こされることも知らなかった。

世界がまったくの暗闇だとしたら、（なにがどうなっているかわからないまま物事が次々と起きるのだから）ものすごい恐怖だろう。この根源的・実存的な不安から逃れるためには、あらゆる出来事は「説明」され「意味」を与えられなければならない。

こうして神話や宗教が生まれたが、科学的な知識がないのだから、それらは神秘的・呪術的なものになるしかない。ヒトの脳はもともと陰謀論的に思考するよう「設計」されているのだ。

その後、近代の啓蒙主義とともにわたしたちの世界観は大きく変わったが、これは「陰謀論」が「科学」に置き換えられたわけではない。近年の脳科学は、意識という中央管制室が全体を統制しているのではなく、脳内では進化の過程のなかでつくられたいくつかの異なるネットワーク（モジュール）が独立に活動しているとする。

赤い染みのついたセーターを「殺人事件の遺品だ」と説明すると、手に取ろうとするひとはほとんどいない。そこになにか不吉なもの（被害者の霊や怨念）が取りついていると感じるのだ。

「目力」というのは、物理法則に反して、目からなんらかの光線が出ていると感じることだ。こうした例はいくらでもあり、わたしたち（無意識）はいまだに呪術的世界を生きている。意識（理性）は地動説でも、無意識は天動説のままなのだ。

そのように考えれば、問うべきは「なぜ陰謀論にハマるのか」ではなく、「陰謀論を信じるひとがなぜこれほど少ないのか」だろう。ひとびとが陰謀論的に思考しているにもかかわらず、近代社会が科学や理性をもとに運営されているのは驚くべきことなのだ。脳のＯＳ（基本システム）が呪術的なのだから、陰謀論にふりまわされるのはごく一部のひとたちだけではない。「リベラル」は右翼・保守派の陰謀論を嘲笑するが、そんな彼ら／彼女たちにしても理性より直感を信頼し、ワクチンや肉食を「自然に反する」として否定する非科学的な「自然崇拝（スピリチュアリズム）」にハマっている。Ｑアノンが「新型コロナのワクチンにはマイクロチップが入っていて、５Ｇ電波で操られる」などと言い出したことで、いまでは右と左の陰謀論は区別がつかなくなってしまった。

「公正」な世界を取り戻す闘い

わたしたちはみな、世界を「公正であるべきだ」と思っている。そして「不公正」を感じると、それをなんとかして「公正」なものにしようとする。社会心理学ではこれを「公正世界信念」と呼ぶ。

ここでいう「公正」は、「ルール（道徳）によって秩序が保たれている」ことだ。「不公正」な世界は無秩序（カオス）だから、ものすごく恐ろしい。人間は誰もが無意識のうちに秩序と安全、すなわち公正さを強く求めている。

「不公正な世界を公正なものに変える」のはよいことに思えるが、それは「他者の不道徳な行為を道徳的なものに矯正する」ことでもある。公正世界信念を強くもつひとは、事実婚や中絶、同性愛などを「不道徳」と見なしてきびしい態度をとる。

誰もが知っているように世界には不公正なことがたくさんあり、その多く（あるいはほとんど）は個人の努力では変えられない。しかしそれを放置しておくと、無秩序な世界からの脅威につねにさらされることになる。

だったらどうすればいいのか。現実が変えられないのなら、自分の認知を変えればいいのだ。

性暴力の被害を受けた女性に対して、「自分から挑発した」「下心があった」などと炎上することがあるが、この現象は「犠牲者非難」と呼ばれる。キャンプ場から小学校1年の娘がいなくなった事件で、情報提供を求める母親に対し、「親が怪しい」「殺したのは母」

などの誹謗中傷がＳＮＳで相次いだのも同じだろう。なんの落ち度もない被害者が救済されないのは公正世界信念に反するため、強い不安を引き起こす。そこから逃れるのには、「じつは被害者に責任がある」と認知を変えて「公正世界」を回復すればいいのだ。

理不尽な世界を「陰謀」によって説明するのもこれと同じだ。ディープステイトであれグローバル資本主義であれ、なんらかの「悪」によって公正な世界が蝕《むしば》まれていて、自分は「善の戦士」としてそれと闘っているのなら、不気味で不可解な世界は「意味」によって満たされ実存的な不安は消えるだろう。

陰謀論のもうひとつの効果は、「自我への脅威」を軽減してくれることだ。

自尊心についての多くの心理実験は、「ひとは誰もが自尊心をすこしでも高めようとし、それができない場合でも自尊心が傷つくことをなんとしてでも避けようとする」ことを示している。自尊心というのは、自分が社会（共同体）のなかでどれほど受け入れられているかを示す計測装置（ソシオメーター）のようなもので、評判や名声を獲得して自尊心の針が上がると幸福と安心を感じるが、逆にソシオメーターの針が下がると、無意識はとてつもない恐怖に圧倒されてしまう。人類が進化の過程の大半を過ごした旧石器時代では、共同体（部族）から放逐されることはただちに死を意味したのだ。

そのためわたしたちは、自尊心を引き下げるような事態に死に物狂いで抵抗する。ささいな批判に傷ついたり、激昂して攻撃的になることは誰でも身に覚えがあるはずだ。

日本でも東日本大震災や今回の新型コロナ禍で、SNSなどに事実に基づかない主張があふれた。このひとたちは誤りを指摘されても訂正するどころか、さらに誤情報に執着する。これも問題の本質が「ファクト」ではなく「アイデンティティ（自尊心）」であることを示している。

ところがある日、あなたは自分がいつの間にか「下級国民」の烙印を押されていることに気づく。

これまで黒人をバカにしていた低学歴の白人が、あるとき鏡を見たら、自分が忌み嫌い、否定していた者の姿がそこに映っていた。そんなことが起きたとしたら、脆弱な自我は脅威に押しつぶされてしまうだろう。——同様に高学歴の白人は、いずれ鏡にプアホワイトの自分が映っていることに驚くだろう。

こうなるともはや、現実を変える（努力して成功を目指す）ことは不可能だ。だとしたら、あとは現実を否認し自分の認知を変えるほかない。

このようにして絶望の暗闇のなかから、「陰謀」がその異様な姿を現わすのではないだろうか。

27 メアリー・トランプ『世界で最も危険な男』小学館
28 マイケル・ウォルフ『炎と怒り　トランプ政権の内幕』早川書房
29 アン・ケース、アンガス・ディートン『絶望死のアメリカ　資本主義がめざすべきもの』みすず書房
30 チャールズ・マレー『階級「断絶」社会アメリカ　新上流と新下流の出現』草思社
31 吉川徹『日本の分断　切り離される非大卒若者（レッグス）たち』光文社新書
32 吉川徹「非大卒若者の大学離れ　学歴分断の「ソフトウェア」」（吉川徹、狭間諒多朗編『分断社会と若者の今』〈大阪大学出版会〉所収）
33 ブライアン・カプラン『大学なんか行っても意味はない？　教育反対の経済学』みすず書房
34 カプラン、前掲書。
35 Peter Turchin: How 'elite overproduction' and 'lawyer glut' could ruin the U.S., National Post（2016/11/14）

6 「神」になった「非モテ」のテロリスト

2014年5月23日、22歳の大学生エリオット・ロジャーは、同じアパートに住むカリフォルニア大学サンタバーバラ校の男子学生3人を次々と刺殺したのち、近くのカフェでコーヒーを買い、〝Elliot Rodger's Retribution（エリオット・ロジャーの報復）〟と題する動画をYouTubeにアップした。それにつづいて、〝My Twisted World: The Story of Elliot Rodger（私のねじれた世界　エリオット・ロジャーの物語）〟と題したA4判140ページにもなる長文の自伝を、セラピストや家族・知人に電子メールで送りつけた。

その後、ロジャーは母親に買ってもらったBMWのクーペで女子学生寮に向かい、数分間ノックしたものの誰も応答しなかったため、近くにいた女性3人を銃撃した（うち2人死亡）。ふたたび車に戻ると、市内を走りながらデリカテッセンなどに発砲、歩道に乗り上げて歩行者をはね、カップルと女性を銃撃。スケートボーダーらをはねながら逃亡し、さらに何人かに発砲したあと警官と銃撃戦になり、腹部に銃弾を受け、自ら頭部を撃って死亡した。死者6人、負傷者14人の無差別殺人だった。

2人の「テロリスト」

ロジャーは自伝の最後（エピローグ）で次のように書いている。

　こうして私の悲惨な人生は終わりを告げる。いったい誰が、自分の人生がこんなふうになると思っただろう？　私は思わなかった。この世界がよきもので幸福な場所だと思った時代もあった。子どもの頃、私の全世界は無垢だった。それは私が思春期に達し、女たちを求めるようになり、それが私の全人生を生き地獄にするまでだった。

私は女たちを求めた。だが女たちが私を求め返すことはなかった。そこにはなにか、とてつもなく間違ったものがある。それが罰せられることがないのは不公正だ。この（無差別殺人の）シナリオなしに、私が幸福な人生を送る方法はない。[36]

2008年6月8日、派遣従業員として働いていた自動車工場を退職した25歳の加藤智大《ともひろ》は、レンタカーの2トントラックで秋葉原近くの交差点に赤信号を無視して突っ込み、歩行者5人をはねた。トラックがタクシーと接触して停車すると、加藤はダガーナイフをつかんで歩行者天国に突入し、奇声を発しながら、道路に倒れ込む被害者や救護に駆けつけた通行人らに次々と襲いかかった。7人が死亡、10人が重軽傷を負った。

事件の4日前、加藤は掲示板にこんな投稿をした。[37]

唐突に小学生の頃を思い出した。
人生にはモテ期が3度あるらしいけど、俺のモテ期は小4、小5、小6だったみたいだ。

考えてみりゃ納得だよな。親が書いた作文で賞を取り、親が書いた絵で賞を取り、親に無理やり勉強させられてたから勉強は完璧。小学生なら顔以外の要素でモテたんだよね。俺の力じゃないけど。

親が周りに自分の息子を自慢したいから、完璧に仕上げたわけだ。俺が描いた作文とかは全部親の検閲が入ってたっけ。

中学生になった頃には親の力が足りなくなって、捨てられた。より優秀な弟に全力を注いでた。

中学は小学校の「貯金」だけでトップを取り続けた。中学から始まった英語が極端に悪かったけど、他の科目で十分カバーできてたし。

当然、県内トップの進学校に入って、あとはずっとビリ。高校出てから8年、負けっぱなしの人生。

つまり、悪いのは俺なんだね。

ロジャーと加藤が無差別殺人に至る経緯はそれぞれ異なるものの、両者には明らかな共通点がある。事件後、ネット上で「神」と呼ばれるようになったことだ。

「不細工には生きる意味がない」

青森県で、地元の金融機関に勤める父と専業主婦の母の長男として生まれた加藤智大は、母の特異な「しつけ」によって県内の名門高校に入学したが落ちこぼれ、自動車整備士を目指して入学した短大も資格を取ることなく卒業した。その後は警備会社や運送会社で働いたもののいずれも長続きせず、静岡県裾野市にある自動車工場で派遣社員として働きはじめた。だがその工場で自分のツナギがなくなるという「事件」が起き、激昂した加藤はそのまま仕事を辞めてしまう。その後、福井のミリタリーショップでナイフを購入し、トラックを借りて秋葉原に向かう。

事件に至るまでの加藤の軌跡は、政治学者の中島岳志が、裁判を傍聴するだけでなく関係者にも取材して『秋葉原事件　加藤智大の軌跡』としてまとめている。その後、加藤自身が、死刑判決が確定するまでに東京拘置所で『解』『解＋』『東拘永夜抄』『殺人予防』の4冊の著書を書き、雄弁に自身の事件を論じている。――以下の引用でとくに断りのないものは中島『秋葉原事件』より。加藤の著書からの引用は個別の書名を入れた。

加藤は携帯サイトの掲示板に自身のスレッドを立て、「不細工には生きる意味がない」「不細工だから彼女が出来ない」などの〝非モテキャラ〟の投稿を繰り返し、そこでのやりとりを生きがいにしていた。

加藤はその掲示板で、2人の女性と知り合った。「群馬の女性」は加藤より2歳年上で、「23歳のときに付き合っていた男性との間に子供ができたために結婚したが、夫は子供が1歳のときに借金を作って失踪した。彼女は大きなショックを受け、精神的に不安定になった」という。

もう1人は「兵庫の女性」で、掲示板では19歳と語っていたが、当時18歳だった。「自分の容姿へのコンプレックス、モテる男性への嫉妬心、彼女ができないことへの不満」をネタに笑いを取ろうとする加藤のキャラはしばしばトラブルを引き起こしたが、そんなときもフォローしてくれた。

2007年9月、加藤は、日本各地にいる掲示板のメンバーが集まって、北九州市にいる（掲示板）管理人に会いにいくという企画を立てたが、実際にやるとなるとみな抜けていった。それでも加藤はあきらめきれず、正社員として働いていた青森の運送会社を辞め、車で九州に向かう旅に出る。加藤の目的は、旅の途中で2人の女性に会うことだった。

告白と失恋

「群馬の女性」の家には3歳になる子どもがいたが、女性は加藤を家にあげていっしょに酒を飲んだ。

加藤は、悩みを打ち明けた。

——母の教育が厳しかったこと。学歴がないこと。自分の容姿にコンプレックスがあること。恋愛がうまくいかないこと。

彼は繰り返し自分のことを「不細工」「キモい」と表現した。女性は「そんなことないと思うよ」と慰めた。加藤は、女性とあまり遊んだことがないとも語った。

翌日も女性の家で酒を飲んだ加藤は、突然、「好きなひとがいる」と言い出した。

「誰?」と訊くと、「兵庫の女性」の名前を口にした。

その後、加藤は兵庫で女性と会い、思い切って告白したが、交際を断られてしまう。北九州で管理人と会ったあと、加藤は帰路にふたたび「群馬の女性」の家に寄った。

加藤は旅の報告をした。彼は「兵庫の女性」に告白し、交際を断られたことを話した。――「けど、最初から結果はわかっていたから」。

加藤は、そう言って泣いた。

「ちゃんと伝えられただけでもよかったじゃない」。彼女が慰めても、加藤の涙は止まらなかった。

加藤は、不満をぶちまけはじめた。

「やっぱり一人、寂しい」「一人はイヤ」「彼女がほしい」「彼女ができれば、一人じゃなくなる」「生きている意味ができる」「彼女ができないのは、自分が不細工だから」――。

時間は深夜になっていた。彼女が「もう寝よう」と促すと、彼は「一緒に寝たら手を出してしまいそうだから、車で寝る」と言い、部屋を出た。彼は、車の中で一夜を過ごした。

「なりすまし」の投稿

加藤は裁判でも自著でも、事件を起こした理由は「(掲示板の)なりすましをやめさせるためだ」と一貫して主張している。たとえば東京地裁の被告人質問では次のように語った。

私はインターネットの掲示板を使っていたのですが、自分のスレッドに私になりすますニセ者や、荒らし行為を行う者がいたので、対処してほしいと掲示板の管理人に頼みました。(こうした人たちに)自分が事件を起こしたことを知らせたかった。……私が事件を起こしたことで、私に対して嫌がらせをしたことを知って、事件に対して思い当たるふしがあると思ってほしかった。私が本当にやめてほしかったことが伝わると思っていました。

これでは動機としてはまったく理解不能で、そのためさまざまな憶測を呼んだが、私は、加藤がありのままを語っていると思う。掲示板に自分の「なりすまし」が現われたために、秋葉原で無差別殺人を行なったのだ。

なぜこんな奇妙なことになるかを知るには、「なりすまし」がなにをしたのかを見る必要がある。とはいえ、公表されている掲示板の会話にはＩＰアドレスがなく、どれが加藤本人の投稿で、どれが「なりすまし」なのかを見分ける方法がない。

だがその一部は、加藤本人が自著で明かしている。以下は事件10日前の会話で、午前4時15分、若い女性からの思いがけない投稿から始まった。

> ぶっちゃけアタシ前は主《しゅ／ぬし》（スレッド主。加藤のこと）大嫌いだったんだ。主は何に対しても否定的な感じで。アタシもそんな主を否定していたんだけど、でも毎日このスレを見るようになったら主みたいな人もありだなと思うようになった。冗談抜きで友達になりたいと思うようになったよ。

半信半疑の加藤は、「それは嬉しいですけれど、私と友達になってもあなたにとっては何のメリットもないですよ」と皮肉交じりの返信をしたが、女性は「じゃアタシと主は今日から友達だから」と書いて、ハンドルネームも「友達」とした。

「そーいえば主は今日の仕事終ったの？」と女性が訊き、「はい、終りました」と加藤が答えると、すぐにこう書きこまれた。

お疲れさーん☆
アタシチューハイはピーチが好きだな
主ピーチは飲まない？

朝まで会話が続き、女性が掲示板から離脱したので、加藤も夕方からの仕事に備えて寝ることにした。昼頃に起きると、加藤はいつものように掲示板に書き込みはじめた。すると、次のような「自分」の投稿を見つけた。

私は愛が欲しい訳でも、愛して欲しい訳でもないのです。
精一杯、誰かを愛したい……
愛している証が欲しいのです。

これが「なりすまし」だ。――加藤は言及していないが、つづいて書き込まれた「私は愛したいし、愛されたいです。」も「なりすまし」だろう。

「何か壊れました。私を殺したのはあなたです」

夜勤を終えて加藤が帰宅すると、昨日の女性がスレッドにやってきた。そこで女性が中卒で、元カレも「ヤン（ヤンキー）か職人」だったが、「今は大卒の超真面目なリーマンと付き合ってる」ことを告げられる。

期待を打ち砕かれた加藤は、「やっぱり女性は学歴を気にするんですね。三流の短大卒の私にはチャンスはなさそうです」と書いて、ファッションセンスをめぐって女性に執拗に絡みはじめる。事件へと至る重要な会話なので、女性とのやり取りの最後の部分を引用しよう。

女性：「（服に興味を持てないことを）否定はしてないよ。主に伝えるのは難しいなぁ……」
加藤：「そんなに服が好きなら服と付き合えばいいのに、と思います」
女性：「でもさ、主にも『異性から良く見られたい』って気持ち少しはあるでしょ？」
加藤：「あります」
女性：「やっぱ主にもそーゆー気持ちあるよね。皆はそこから服に気を遣うようになるんだよ」
加藤：「不細工な私でもいい服を着ればたちまち彼女ができるのですか」「理解できません。とりあえず服に気を使わないと彼女ができないことはわかりました。つまり、私には絶対に彼女ができないこともわかりました」「意味がわかりません。イライラします。みんな殺してしまいたいです」

女性：「服に気をつかっただけで彼女が出来るわけないじゃん。服に気を使う事は彼女を作るための準備。なんで異性から良く見られたいって気持ちがあるのに主は実行しないの？」
加藤：「中身、中身ときれい事を言っているくせに、結局見た目で判断してるじゃないですか」「彼女を欲しいと思っていないからです。こう書けばあなたは納得するでしょう？」
女性：「納得しないよ。主は彼女欲しいって言ってたから。変わる気が無いなら無理して変わる必要無いよ。そのままの主が良いって言う人が居るかもしれないし」
なりすまし：「私は最低以下ですね」

これでわかっただろうか。「なりすまし」は加藤と女性とのやり取りをずっと観察していて、絶妙のタイミングで加藤がもっとも嫌がることを書き込んでくるのだ。
このあと、加藤が「食欲がなくてもお腹は空くのですね。イライラがつのるばかりです」と投稿すると、「名無し」が「不細工でも苛々するんだな」と書き、その後、しばしば引用されることになる書き込みをする（加藤は自分の投稿であることを認めている）。

何か壊れました。私を殺したのはあなたです。

「不細工キャラ」から覗く傷口

加藤は、「不細工キャラ」は掲示板に参加者を集めるためのたんなるネタだと繰り返し述べている。掲示板にさまざまなスレッドを立ててみたもののほとんど反応がなく、そのなかで唯一、参加者から強い反応があったのが非モテの繰り言だった。

この「不細工キャラ」と事件の動機を結びつけることについて、加藤は強く反発している。

そもそも私は、自分がどうしようもない不細工だとも思っていません。イケメンか不細工かの二択であれば不細工だと答えますが、全体の中では100点満点で35点くらいの、どちらかといえば不細工、程度に思っています。しかし、掲示板ではこうした当たり前のこと、中途半端なことを書いても何の面白みもありませんので、ある事ない事、大げさに書いていました。（『解』）

（不細工は交際相手を）見つけたくても見つからないから不満なのであり、そもそも彼女を見つけようとしてなどいなかった私にこのような不満がわくはずがありません。（『解＋』）

しかし、加藤がいうように「不細工キャラ」がネタのためだけのまったくの架空の存在であれば、なぜ「なりすまし」にあれほど激昂したのだろうか。自分のつくったキャラを、他の参加者も面白がって使ってくれるのだから、掲示板が盛り上がっていいではないか。当たり前の話だが、誰も自分と無関係のキャラを想像力だけで造形することはできない。仮にそんなことをしたとしても、まったくリアリティのないキャラに掲示板の参加者が興味をもつことはないだろう。

加藤のスレッドが「不細工スレ」として評判になったのは、どれほどカリカチュアしても、そこから加藤の「傷口」が覗いていたからだろう。だからこそ、同じ「非モテのコンプレックス」をもつ者たちが集まってきたし、加藤も「ありのままの自分」を受け入れてくれる女性が現われることを期待したのだ。

女神化と一発逆転

加藤は風俗店で性欲を処理することもあったから童貞というわけではないが、恋愛関係からセックスに至った経験はなかった。だが、つき合ってくれる女性なら誰でもいいと考えていたわけではない。

自著で加藤は、自動車工場の友人が紹介してくれるような女性には興味がなかったと書いているが、これはほんとうだろう。だからこそよけい、掲示板の「不細工キャラ」を知ったうえで関心を示してくれる女性に執着することになる。これは非モテのあいだで「女神化」と呼ばれている。

「ぼくらの非モテ研究会」が作成した「非モテ研用語辞典」によれば、「女神」とは「女性と関わることが少ない環境・人生のなかに突如現れ、声をかけてくれたり優しくしてくれたりする女性を神聖視してそう呼ぶ」ことで、「女神化」は「一人の女性を女神として位置づけていくこと。これまで女性との交流がほとんどなかった、自己否定的な感覚に陥っている、などの状況で発現しやすい。相手に精神的ケアを過剰に期待してしまう可能性があるので注意」とされている。[38]

「一発逆転」という非モテ用語もあって、次のように説明されている。

【一発逆転】恋人ができれば現在の不遇な状況が挽回され、幸せになることができると考えること。「新しい世界が広がる」「一人前として扱われる」「確実な関係を結ぶことで不安定な自己像が安定する」など、それを一発逆転と見なす理由は多様である。〔用例〕「――したら自分は人生のゴール。幸せな人生を歩めるみたいな思いがある」

加藤が正社員の職を捨てて「兵庫の女性」に告白しにいった経緯は、この非モテ用語ですべて説明できるのではないか。

加藤の「不細工スレ」が注目されたのは、そのカリカチュアされたキャラからほんものの血が流れていたからだ。だからこそ、ピラニアが血の匂いを嗅ぎつけてくるように、「なりすまし」たちも集まってきた。血を流している「スレ主」をネタにして弄ぶのは面白いから。

こうして「なりすまし」は、加藤の書き込みを四六時中監視し、女性とのやり取りがあるたびに、加藤になりすまして卑屈な書き込みをしたり、女性に嫌がらせをして怒らせようとした。「なりすまし」の攻撃に日々さらされた加藤が、傷口を無理やり押し広げられたように感じたとしても不思議はない。

だからこそ、どんなことをしてでも、「なりすまし」を止めなくてはならなかったのだ。

男は競争し、女が選択する

ひとはつねに異性を評価し、自分とライバルとを比較している。モテ／非モテ問題とは、恋愛市場において一部の者に人気が集中し、「需要」と「供給」のマッチングがうまくいかないことだ。

生殖機能のちがいから、男と女では性愛のコストにとてつもなく大きな差がある。ここから、男の戦略は「できるだけ多くの女とセックスする」、女の戦略は「自分と子どもに尽くしてくれる男と長期的な関係をつくる」になる。その結果、恋愛市場においては「男は競争し、女が選択する」[39]。

外見とコミュ力にめぐまれ、社会的・経済的地位が高い「恋愛強者」の男をアルファという。現代社会は法によって一夫多妻が禁じられているが、アルファの男は結婚と離婚を繰り返すことで複数の女を妻にできる。これは「事実上の一夫多妻」と呼ばれる。

「男が競争し、女が選択する」といっても、女の方が恵まれているということではない。男の性的関心は生殖能力の高い「若い女」に集中するから、女性は年齢とともに恋愛市場から脱落していかざるを得ない。さらに、恋愛カーストの頂点にいる「アルファの男」は限られているから、「よい男を射止める」ための激烈な競争に放り込まれる。現代社会では、SNSなどでより多くの注目を集めようと、若い女性の「美」への圧力が異常な水準に達している。

女の性愛競争はラノベや少女マンガなどで繰り返し描かれ、よく知られているが、恋愛市場における男の競争は最近までほとんど関心をもたれなかった。その理由は、女が（比較的）平等に男に「分配」されてきたからだろう。男女がほぼ同数で、一夫一妻制を徹底するなら、原理的にすべての男が女を獲得できる。これは近代以前も同じで、日本のムラ社会では、男も女も親が決めた相手と結婚する以外の選択肢がなかった。ハーレムを許されるのはごく一部の特権層の男だけというのも世界共通だ。

一夫一妻のルールが歴史的にも世界的にも広く観察されるのは、男にとって性愛は死活的に重要なので、一部の男が女を独占しようとすると殺し合いになるほかないからだ。この原則は旧石器時代から社会に埋め込まれており、男たちは徒党を組んで女たちを支配し、分配してきた[40]。

近代になって一夫一妻制が徹底されるのは、国家が国民を徴兵し、戦場に送るようになったからだろう。国家のために生命を賭ける代償として、国家が若い男たちに「女の平等な分配」を約束したのだ。

だがこうした分配機能は、長い平和とリベラル化によってちからを失っていく。戦争がなくなれば（あるいはドローンやロボット兵が戦うようになれば）、若い男を動員する代償は必要ない。誰もが「自分らしく」生きるようになれば、親や中間共同体が結婚相手を決めることもなくなる。「自由恋愛」という言葉は恋愛が不自由な時代だからこそ意味があったわけで、いまや完全な死語になった。

女を男に分配する社会の機能が失われると、恋愛の本質である「男は競争し、女が選択する」が顕在化してくる。その結果、アルファをめぐる女たちの競争がより熾烈になるとともに、早ければ思春期の前半で恋愛市場から脱落してしまう男が現われた。これが「モテ／非モテ」問題だ。

「貧乏な男はモテない」現実

若い男女が恋愛の対象を選択するとき、もっとも（あるいは唯一）重視するのが「外見」であることは、心理学の多くの実験によって確かめられている。すくなくとも先進国の大学生では、文化のちがいはないようだ。

だが社会人になったあたりから、恋愛市場に性差が現われはじめる。それをかんたんに要約すれば、「歳をとった女はモテない」「貧乏な男はモテない」だ。

図表8は全国の1万2000人に恋愛、結婚、出産について質問し、1歳ごとに集計し

図表8　交際、結婚、出産育児の経験者割合の個人収入別比較
（男性、実現を選好する人のみ）

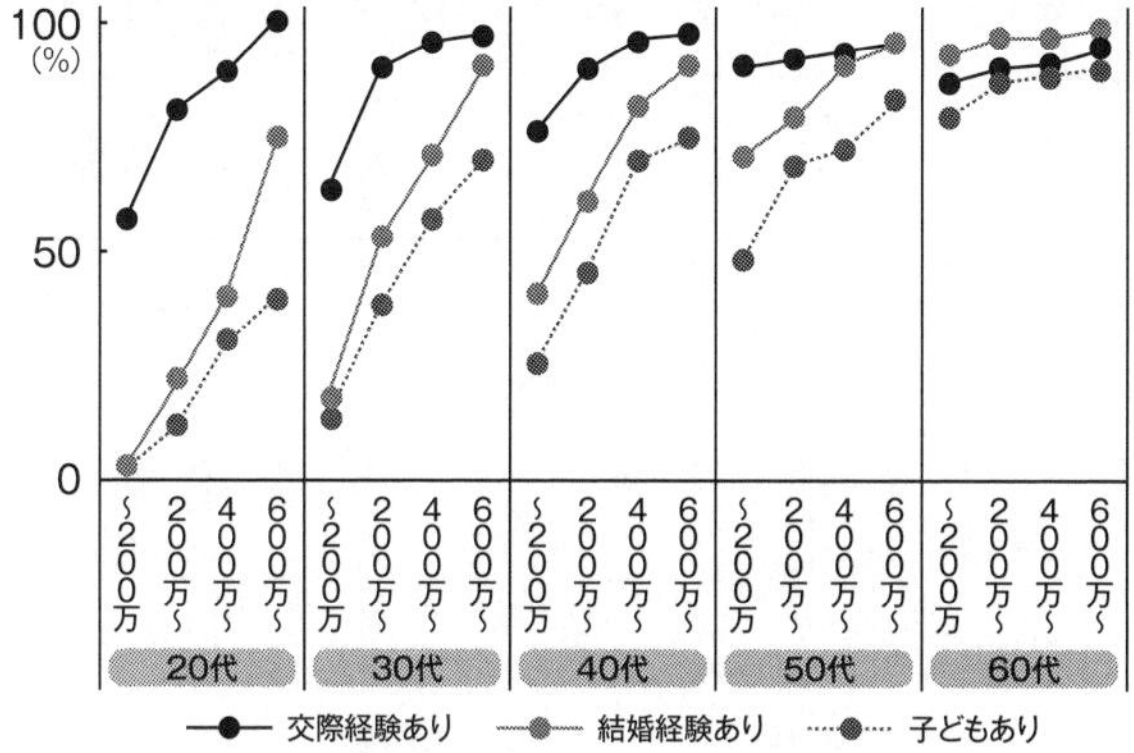

内藤準「家族と自由　交際・結婚・出産育児の社会経済的不平等」より

た「2015年社会階層とライフコース全国調査」から、男性の「個人収入」と「交際、結婚、出産育児経験の有無」の関係をまとめたものだ。[41] 年齢は20代から60代まで、年収は「200万円未満」「200万～400万円」「400万～600万円」「600万円以上」の4区分だ。ちなみにこれは、「恋愛」「結婚」「子どもをもつ」希望をもっているひとだけのデータだ（もともと関心のないひとは除かれている）。

　図を見れば明らかなように、どの年代でも、「夢」の実現可能性は年収が多いほど高くなり、年収が少ないほど低くなる。さらに、年収による「恋愛・結婚格差」は若いほど大きい。

20代の年収200万円未満では、「彼女がほしい」と思っている男の55・2％しか交際経験がないが、年収600万円以上では100％が交際している。「結婚経験あり」は、年収200万円未満では2％なのに、年収600万円以上では75％で、40％が父親になっている（結婚できなければ子どももてないから、年収200万円未満の父親は2％を下回る）。

一方、60代では年収の差はほとんどなくなり、どの収入層でも9割以上で交際経験があり、8割以上が子どもをもっている（60代で結婚経験が交際経験を上回るのは、恋愛経験を経ずに見合いで結婚したからだろう）。

年齢によって交際や結婚経験者の割合が変わる理由は大きく2つ考えられる。
①若い時は交際・結婚できなくても、歳をとるにしたがってそれなりの相手が見つかり、家庭をつくることができる。
②時代とともに交際・結婚の環境が変わっており、個人の状況は歳をとってもあまり変

化しない。古い世代が退場し、新しい世代が登場することで、社会の姿は大きく変わっていく。

どちらが正しいかは、未婚率の推移を見ればわかる。①が正しいとしたら、最終的には希望者のほとんどが結婚できるはずだから、時代による未婚率の変化はほとんどないはずだ。実際には、日本の未婚率は1970年代を境に急速に上昇し、2030年には男の3割、女の2割が「生涯独身（50歳までに一度も結婚したことがない）」になると推定されている。

これはつまり、20代男性の年収による「恋愛・結婚格差」が、30代や40代になってもそのまま維持される（可能性が高い）ということだ。男の場合、経済格差とモテ／非モテ格差はますます強く連動するようになってきた。

恋愛の自由市場においては、男は若いときは外見（＋コミュ力）、30代を過ぎると経済力（＋社会的地位）が選ばれる基準になる。外見に自信がないまま中年期を迎え、経済的にもうまくいっていないと、性愛の可能性から全面的に排除されてしまうのだ。

女が自立すると非モテが増える

男にとっての深刻な問題は、「自分らしく生きたい」と思う女が増えれば増えるほど恋愛の難度が上がってしまうことだ。「女が自立すると非モテが増える」と言い換えてもいい。そしてこれが、フェミニズム（自立する女）への敵意（ミソジニー＝女嫌い）につながる。

視点を変えて、この現象を女の側から見てみると（おそらく）次のように説明できる。

日本のジェンダーギャップ（社会的な性差）指数が156カ国中120位（2021年）と極端に低いことはよく知られているが、中国や韓国も事情はたいして変わらない。台湾や香港、シンガポールを含む東アジア諸国は女の方が結婚によって失うものがずっと多く、どこも出生率が急激に低下している。

結婚や出産によって「自分らしく生きる」ことをあきらめなくてはならないとしたら、その損失を埋め合わせる代償が必要だ。それが「生活の安定」で、要するに夫の経済力になる。これが、「低所得だと結婚はもちろん彼女もできない」理由だ。男女の性愛の非対称性から、女は「選択する」側にいるので、相手を選ばなければ結婚はできるだろうが、貧乏な男と結婚しても将来に夢がもてないのだ。

この変化を象徴しているのが、女優やアナウンサーなど華やかな世界の女性が結婚する相手だ。かつては画家や音楽家、作家、学者のような「文化人」が多かったが、いまは圧倒的に「成功した起業家」だ。「文化人」になく「起業家」がもっているのは、いうまでもなく「カネ」だ（「社会的な名声」なら文化人もそれなりに備えているだろう）。

これは「女はカネの亡者」ということではなく、現代社会の価値観が金銭によって評価されるものに変わったからだろう。女の共同体（女友だち）での評価が「つき合う男」によって決まるのなら（現実を見るかぎりいまだにそうだろう）、賢く魅力的な女がステイタスの高い男を選ぶのはいうまでもない。

男はこれを理不尽だと思うかもしれないが、（私には女の気持ちはわからないものの）きわめて当然の判断だと思う。

非モテが「神」になるとき

未婚の男女が増えて出生率が下がっているからといって、見合い婚による一夫一妻制(男集団による女の分配)に戻すことはもはやできない。かつてフェミニストの一派は、一夫多妻を女性差別だとして一夫一妻を守る運動をしていたが、エリオット・ロジャーのような「インセル(involuntary celibate:非自発的な禁欲主義者)」が一夫一妻の伝統的な社会に回帰するよう主張しはじめると、さすがにこれがとんでもない間違いだと気づいたようだ。

一夫多妻は(アラブのように)家父長制=男性中心主義と結びついているとして批判されるが、原理的に考えれば、富裕な男が複数の女を囲い込むことで貧しい女はよりゆたかな男と結婚できるのだから、(金持ちの夫の富を独占している限られた女を除けば)すべての女に有利な制度だ。その一方で、(ハーレムをつくれるほどの富をもつごく一部の男を除けば)一夫一妻はすべての男(とりわけ非モテ)に有利な制度なのだ。——女のあいだで「美」をめぐる競争が激化しているのは、一夫一妻制によって、アルファの男が一人の女（妻）に独占されているからだろう。

一夫一妻の「（男の）ユートピア」に戻ることが不可能だとすると、出生率を上げるために残された道は、女性が働いて収入を得ると同時に、夫が家事・育児を引き受けて妻の負担を減らすことしかない。こうして先進国はどこも、「共働き」と「イクメン」が求められるようになった。

男女が平等になるのはもちろん重要だし、北欧などのリベラルな国は日本より出生率が高い。とはいえこれでは、「モテ／非モテ格差」は解消できないばかりか、かえって格差を拡大させる可能性が高い。なぜなら、経済力を得て「自立した女」はより自由に男をえり好みできるようになるから。

こうして見ると、日本でもアメリカでも（おそらく世界じゅうで）低所得の男を苦境に追い込んでいるのが、「自分らしく生きたい」というリベラル化であることがわかる。トランプ支持の白人や「ネトウヨ」がリベラルに強い敵意を抱くのは、それが自分たちから「性愛」を奪っていることに気づいているからなのだろう。

エリオット・ロジャーと加藤智大では犯行に至る経緯は大きく異なっている。ロジャーは幼少時にアスペルガー障害と診断されており、おそらくそのせいで学校に馴染めず、いじめの標的にされたことを恨んでいた。母親に中古のBMWを買ってもらったものの、離婚した両親はどちらも裕福というわけではなく（映画作家の父は実質的に破産状態だった）、金持ちの子弟が集まるロサンゼルスの私立学校では自分は「貧乏」で、そのせいで女子生徒から相手にされないのだと信じていた。

それに対して加藤は、高校時代の友人と卒業後もつき合っていたし、職場でも「オタクキャラ」として友だちができた。共通するのは、女性と交際した経験がないことと、無差別殺人を引き起こしたことだけだ。

だがその背景には、「リベラル」な社会で性愛から排除された若い男の困難さがある。これがおそらく、彼らがネット上で共感を呼び、「神」と呼ばれるようになった理由だろう。

「大きく黒い犬」と「人間廃棄物」

ひとはさまざまな理由で追いつめられることがある。だがほとんどのひとは、無差別殺人など起こさない。当然のことながら、非モテの男がすべて犯罪者予備軍だなどということはない。

その一方で、世間を震撼させるような犯罪のほとんどは、なんらかの鬱屈を抱えている男が起こすことも間違いない。秋葉原無差別殺傷事件、やまゆり園事件だけでなく、川崎市登戸の通り魔事件、京都アニメーション放火殺人事件など、事件の動機はそれぞれちがうだろうが、犯人はいずれも現代社会において「自分らしく生きられない」男だ。

こうした者たちを、評論家の御《み》田《た》寺《てら》圭《けい》は「大きく黒い犬」と呼び、[42] 社会学者ジークムント・バウマンは「人間廃棄物（wasted humans）」だとした。[43] 彼らはリベラルな社会にとっての〝恥部〟であり、これまで「存在しないもの」として扱われてきた。「非モテのテロリズム」は、その屈辱的な扱いに対する（無自覚の）異議申し立てでもある。

加藤智大が「なりすまし」を罰するためになぜ無差別殺人を起こしたかは、学校で理不尽な（しかし外部からはわからない）いじめにあっている子どもを考えれば理解できるのではないか。その子どもは、いじめを教師に訴えても、たいしたことではないと思われ相手にされないことを知っている。そのいじめが自分にとってはとてつもなく残酷なものだとわからせるには、大人の目を引くような「事件」が必要だ。

そこで、教室のガラスをすべて割ることを思いついたとしよう。これは学校にとって大事件だから、教師は当然、なぜそんなことをしたのかを訊くことになる。そこでいじめについて訴えれば、鈍感な大人もことの重大さに気づくにちがいない。

「なりすまし」によってつくられた加藤の〝傷〟はとてつもなく深かったので、それを告発する事件も、それにふさわしい「とてつもないもの」でなければならなかった。加藤が裁判で繰り返し「なりすまし」に言及したのは、事件の原因である「なりすまし」に捜査の手が及んで「報復」できる（すくなくとも、「なりすまし」がそう考えて恐怖する）と考えたからだろう。

「無理ゲー」から解放されて

加藤は秋葉原の交差点に突入する前に何度も躊躇したが、それでも最後には「追いつめられて」凶行に及んだ。その理由を「すでに掲示板で事件を告知してしまったから」と説明しているが、この心理も先ほどのいじめの例がうまくあてはまる。

いじめっ子に対して、「これ以上やったら教室のガラスをすべて割ってやる（そんなことになったら学校じゅうが大騒ぎになって、お前たちもただではすまないぞ）」と警告したとしよう。だが実際にやろうとすると、その影響を考えて思わずひるんでしまう。

問題は、すでにいじめっ子たちに「犯行」を予告していることだ。それにもかかわらず実行しなければ、笑いものにされ、いじめがさらに苛烈になることは間違いない。こうして子どもは、椅子を振り上げて窓ガラスを割りはじめるだろう。

加藤は掲示板で犯行を予告しており、同様に、もはや後戻りできないところまで来ていた。「殺人などしたくなかったが、追いつめられて仕方なくやった」との証言は、責任逃れではなく、事件に対する加藤の本心なのだ。

もちろんだからといって、なぜ無差別殺人だったのかは謎のままだ。加藤は自分のことを「ふつう」だと繰り返しているが、「ふつう」ならこんなことはしないだろうから、そこにはやはりどこか「異常」なものがある。だがその異常さがなんなのかは、外部からはもちろん、本人にもわからないのではないだろうか。

加藤は死刑判決が確定するまでのあいだに書いた『東拘永夜抄』で、事件前の「気楽」

な派遣労働や「半端」なオタク遊びを、どこか楽し気に回想している。このタイトルも、同人サークルの人気シューティングゲーム「東方永夜抄」と自分がいる東京拘置所をかけたものだ。つづいて出版した『殺人予防』では、「間違いだらけの「有識者」」を嬉々として批判している。

加藤は、自身のコンプレックスをグロテスクにカリカチュアした「不細工キャラ」を掲示板で演じつつ、それでも受け入れてくれる女性を求めていた。だがこれは、そもそも実現不可能な望みだった。だからこそ無様な執着が、「なりすまし」たちの格好のネタにされたのだ。

だが犯行によって「外界」から切り離されたことで、もはや〝無理ゲー〟を続けなくてもよくなった。それが、無責任な解放感の理由ではないか。

2014年2月、加藤智大の弟が自殺した。結婚を約束した女性と同棲していたが、事件によって職と住居を転々とすることになり、彼女の親からも結婚を反対され「生きる理由」がなくなったからだという[44]。

弟の自殺について加藤は、こう書いているだけだ。

（自殺を知らせる手紙を送ってきたジャーナリストは）本心としては、私の弟の自殺をダシにして私と面会し、下衆なゴシップ記事にスパイスを加えたいだけなのだと思われます。見え見えのタテマエに、非常に不愉快な思いをしました。（『殺人予防』）

36 My Twisted World: The Story of Elliot Rodger By Elliot Rodger
37 中島岳志『秋葉原事件　加藤智大の軌跡』朝日文庫
38 ぼくらの非モテ研究会『モテないけど生きてます　苦悩する男たちの当事者研究』青弓社
39 詳しくは拙著『女と男　なぜわかりあえないのか』（文春新書）を参照。
40 リチャード・ランガム『善と悪のパラドックス　ヒトの進化と〈自己家畜化〉の歴史』ＮＴＴ出版
41 内藤準「家族と自由　交際・結婚・出産育児の社会経済的不平等」（小林盾・川端健嗣編『変貌する恋愛と結婚　データで読む平成』〈新曜社〉所収）
42 御田寺圭『矛盾社会序説　その「自由」が世界を縛る』イースト・プレス
43 ジークムント・バウマン『廃棄された生　モダニティとその追放者』昭和堂
44 齋藤剛「「秋葉原連続通り魔事件」そして犯人（加藤智大）の弟は自殺した」現代ビジネス　２０１４年4月24日（初出『週刊現代』２０１４年4月26日号）

PART 4

ユートピアを探して

7 「資本主義」は夢を実現するシステム

難民キャンプでは飢えや病気で生命を失う子どもたちがいる一方で、2020年には世界の22人の大富豪の資産がアフリカのすべての女性の資産を上回った。この極端な経済格差は、コロナ禍の1年でさらに拡大している。[45]

こうした異常な状況をわたしたちはうまく理解できないので、そこにはなんらかの「悪」があるにちがいないと考える。ヒトの脳（無意識）は因果応報で世界を理解するよう、進化の過程で「設計」されているのだ。

こうして1990年代末から、反グローバリズムを唱えるNGOなどがWTO（世界貿易機関）に抗議する大規模な集会を行なうようになり、一部は暴徒化した。それを受けて日本でも、一時は右も左も多くの知識人がTPP（環太平洋パートナーシップ協定）に反対するアンチ・グローバリズムを主張した。

一夜明けたら「サイテーの人間」

ところがこの知的流行は、2016年に突然、終わってしまった。

理由のひとつは、冷戦終焉後のグローバル化によって中国やインドなど新興国で膨大な中間層が誕生し、「産業革命以降ではじめてグローバルな不平等は拡大を停止した」ことがデータで明らかになったからだ[46]。先進国で富の二極化が起きているのは間違いないが、それだけを取り上げてグローバル化に反対するのは、ゆたかな暮らしを享受してきた先進国＝旧宗主国のエゴイズム以外のなにものでもない。

もうひとつは、いうまでもなく、ドナルド・トランプがアメリカ大統領に当選したことだ。トランプはグローバリズムを、移民政策と並んでアメリカを貧しくした諸悪の根源だとして、ＷＴＯを強く批判し、繰り返し脱退を警告した。これはアンチ・グローバリストがずっと主張していたことで、彼らの夢はトランプと同じだった。

自分たちが「正義」を体現していると信じていた活動家たちは、一夜明けると、「（トランプ主義の）サイテーの人間」になっていた。日本でも（自称）知識人たちが、「ＴＰＰはアメリカの陰謀で、日本にとってなにひとついいことはない」と大騒ぎしていたが、トランプが「ＴＰＰはグローバリズムの陰謀で、アメリカにとってなにひとついいことはない」と交渉から離脱すると、蜘蛛の子を散らすようにどこかに消えてしまった。

だがこのひとたちの目的は、自分にとって気分のいい「正義」を弄ぶことなので、この程度のことではまったくめげない。後ろめたい過去はさっさと忘れて、「陰謀」の対象を別のものに切り替えた。

アメリカでは、右派（Ｑアノン）は「ディープステイト（闇の政府）によって世界が支配されている」と唱えるようになったが、左派のお気に入りの善悪二元論は、地球温暖化などを背景とする「資本主義」批判だ。その理由は、超富裕層に媚びを売る「資本主義者」のトランプとの差別化に都合がよかったからだろう。

とはいえ、これだけで左派の主張が間違っているということはできない。そこでまずは、「資本主義とはなにか？」を考えてみよう。

夢をかなえるタイムマシン

資本主義の定義は論者によって千差万別だ。貨幣経済は農業の開始とともに古代メソポタミアで始まったし、江戸時代の日本は高度な商品経済が発達し、大坂・堂島のコメ市場ではデリバティブ取引が行なわれていた。だが一般的には、産業革命による急激な経済成長を背景に、欧米諸国で中央銀行と金融市場、株式会社と株式市場が整備された19世紀以降の市場システムを「資本主義」と呼ぶのだろう。

資本主義の特徴（あるいは欠陥）は「商品化」だとされることもある。モノだけでなく人間（労働者）すらも「商品」にしてしまうというのだが、これは「資本の論理」というよりも政治（友情）空間の貨幣空間への置き換えで説明できるだろう。そこでここでは、資本主義のレバレッジ効果に注目して、それを「夢をかなえるタイムマシン」と考えてみたい。レバレッジというのは、投資の一部を負債（借金）によって賄うことだ。

あなたが「マイホームを買って一国一城の主になる」という夢をもっているとしよう。不動産価格が3000万円で、毎年100万円ずつ貯金していくとすると、夢をかなえるまで30年かかる。ところが「借金」を使えば、2割（600万円）の頭金と35年返済の住宅ローンでいますぐマイホームが手に入る。このように考えれば、金融機関に支払うローンの金利は、「（時間を超えて夢を実現する）タイムマシンの乗車賃」だ。

ここから、なぜ資本主義（高度に発達した金融市場）が世界じゅうに広がっていったのかがわかる。それは「夢をかなえたい（自己実現したい）」と願うひとたちにとって、ものすごく魅力的なシステムなのだ。

とはいえこれは、「負債は無条件によいもの」ということではない。そもそも標準的な資産運用理論では、リスク耐性の低い個人は借金を避け、投資対象を広く分散するのが大原則だ（タマゴをひとつのカゴに盛るな）。ところがマイホームという「不動産投資」では、頭金としてすべての貯金をはたいたうえに、特定の不動産に5倍（しばしばそれ以上）ものレバレッジをかけて投資する（「頭金ゼロ」のマイホーム購入ではレバレッジ率は無限大だ）。

それに比べて、リスキーな投資の代表で「素人はぜったいに手を出してはならない」とされる株式の信用取引のレバレッジ率は最大3・3倍で、複数の株式に分散投資することもできる。ファイナンス理論的には、住宅ローンを使ったマイホームの購入は株の信用取引よりずっとリスクが高く、それを正当化することは難しい。

それにもかかわらずなぜマイホームが「夢」になるかというと、ヒトの本性として「所有したい」という強いバイアス（勘ちがい）があることに加えて、高度成長期に不動産価格が大きく上昇した「土地神話」が残っているからだ。投資にレバレッジをかけるのはターボチャージャーをつけるのと同じなので、資産価格が上がればものすごく儲かるし、逆に価格が下がると大損して、最悪の場合自己破産が待っている。

ハイリスクのマイホーム購入が投資として正当化できるのは、①自分の収入が30年以上安定している、②波風はあっても長期的には不動産価格は上昇する、という確信があるときだけだ。だが日本では、1990年代のバブル崩壊で地価が大きく下落したのち、不動産市場は二極化して、都心部の地価はゆるやかに上昇したものの、人口減の地方では「負動産」と呼ばれるようになった。

もちろん、こうした投資構造を理解したうえで、ハイリスク・ハイリターンを狙って不動産に投資するのは個人の自由だ。とはいえ、コロナ禍の1年で、年収200万〜250万円の世帯の持ち家比率が60・3％と7ポイント低下、200万円未満の世帯は53・2％と16ポイントも落ち込んだ。[47] 無理をしてマイホームを購入した低所得世帯が、収入減などで家の売却を迫られているのだ。

こうした事情はアメリカでも同じで、不動産市場の長期的な上昇率は日本よりずっと高いにもかかわらず、リーマンショック以降の金融危機で住宅ローンが返済できなくなり、多くのひとが家を追い出されて破産したことから、「夢」を煽って脆弱な（あるいは情弱な）個人を借金漬けにしたことが強く批判されている。[48]

シリコンバレーの「夢ビジネス」

財務の基本であるバランスシート（貸借対照表）を見ればわかるように、ファイナンス（資金調達）の手法には「負債（Debt）」と「資本（Equity）」の2つがあり、調達した資金を事業として運用した結果が資産（Asset）になる（図表9）。

図表9 株式会社のバランスシート

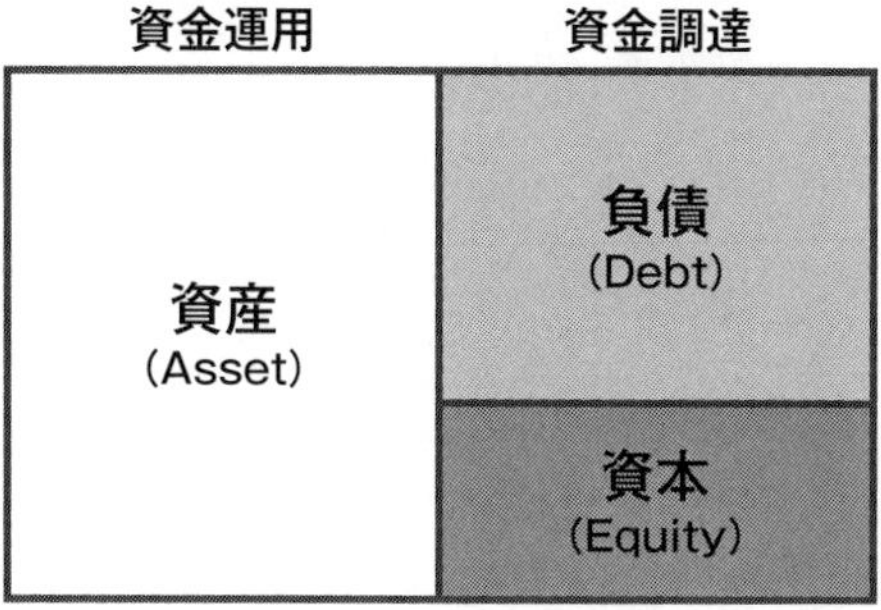

負債は銀行の融資や債券発行によるもので、契約に従って元本と利息を返済していれば、それ以外の義務が課されることはない（住宅ローンは負債なので、ちゃんと返済していれば、大半が金融機関の担保になっていても家を「所有」できる）。

それに対して資本は元本を返済する必要がなく、利益を均等に株主に分配するだけでいい（利益が出なければ配当の必要もない）。これは借り手（経営者）にものすごく有利な取引なので、その代わりに貸し手＝株主は（出資金を上限とする）有限の責任しか負わず、会社・事業の「所有者」として運営にかかわる権利が与えられる。

だがこれでも、投資家はハイリスクの事業に出資するのを躊躇するだろう。そこで、株主の権利を市場で売買できるようにした。これが株式市場で、リスクを分散して事業に投資するだけでなく、権利を売却して投資を回収できるようになったことで、株式会社のファイナンスは飛躍的に拡大した。

ベンチャービジネスでは、この2つのレバレッジシステムを最大限活用している。アイデア以外なにもない無一文の起業家でも、ハイリスク・ハイリターンを好むエンジェル投資家（ベンチャーファンド）を見つければ資本金を確保でき（最近ではクラウドファンディングで集め）、事業が軌道に乗れば、新株発行（エクイティ・ファイナンス）だけでなく、融資や社債発行（デット・ファイナン

図表10 紀元前1000年から現在までの1人あたりの所得の推移

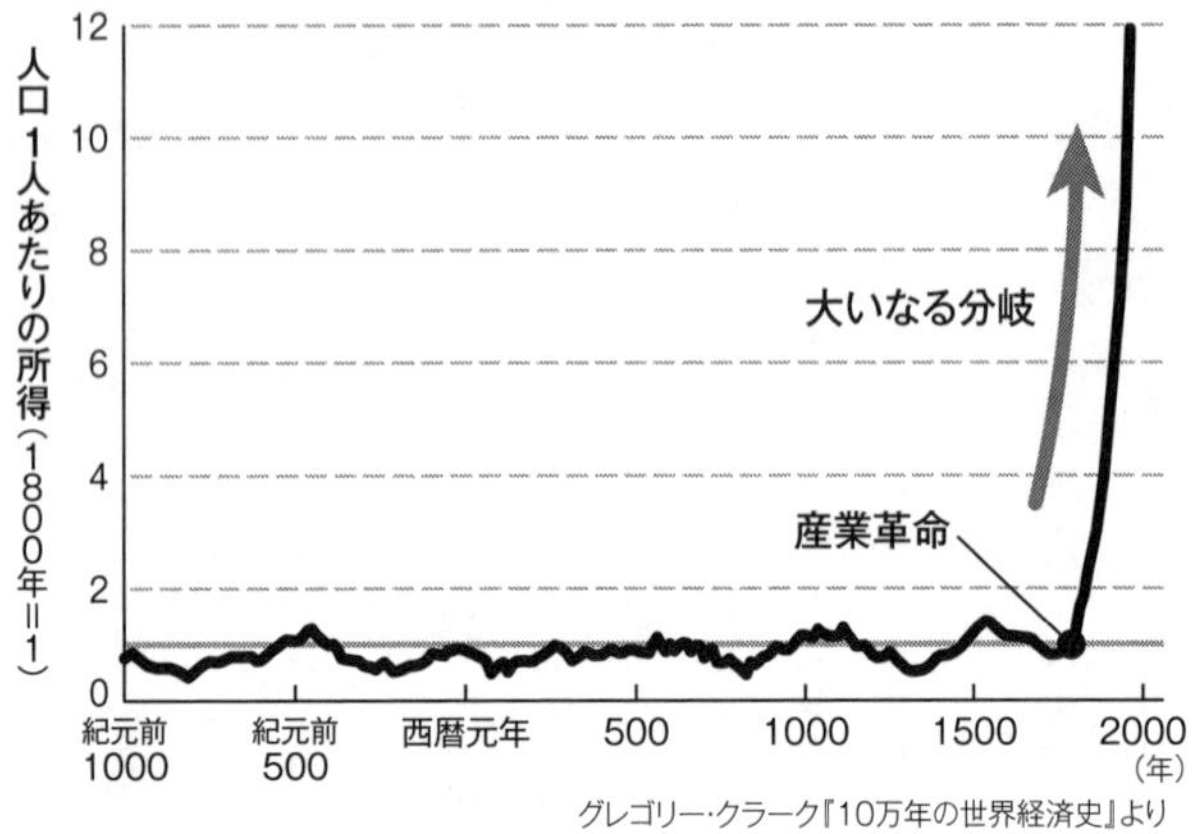

グレゴリー・クラーク『10万年の世界経済史』より

ス）でさらに大きな資金を調達できる。
こうした仕組みなしに、事業運営をすべて自己資金でやらなければならないとしたら、イーロン・マスクがロケットを宇宙に飛ばしたり、電気自動車を走らせるまでに数千年かかるだろう。このように資本主義のシステムは、庶民の「夢」をかなえるだけでなく、才能あふれる（だが資金はない）起業家の「野望」を実現する超高性能のタイムマシンでもある。

未来を先取りする資本主義の「タイムマシン効果」によって、産業革命以降、人類の1人あたり所得は爆発的に増えた（図表10）。もしも資本主義がなかったら、わたしたちはいまだに中世の世界に暮らし、人生の大半を農漁業や牧畜に費やし、飢饉・感染症に怯え、生まれた子どもの多くは1歳の誕生日を迎えることができなかっただろう。

資本主義のレバレッジシステム（夢をかなえるタイムマシン）は、総体としては人類にとてつもない恩恵をもたらした。それを〝邪悪〟なものとして否定するのは、控えめにいってもバカげている。

「富のベルカーブ」が崩れていく

アインシュタインやフォン・ノイマンと並ぶ20世紀が生んだ天才の一人ベノワ・マンデルブロは、統計学で標準とされる正規分布（ベルカーブ）は要素間の相互作用が限定された特殊なケースで、世界の基本は要素同士が互いに影響を与え合う緊密なネットワーク（複雑系のスモールワールド）だとして、これを「フラクタル」と名づけた。

マンデルブロはナイル川の洪水の規模、語彙の頻度、リアス式海岸の地形から株式市場の値動き、宇宙（銀河の分布）に至るまであらゆるところにフラクタルを見つけたが、富（資産分布）もそのひとつだ。[49]

ベルカーブ（正規分布）に対して、フラクタル（複雑系）では分布はロングテール（べキ分布）になる。

「ベルカーブ（正規分布）の世界」では、平均付近にもっとも多くのひとが集まり、極端にゆたかなひとや、極端に貧しいひとは少なくなる。図表11では、平均から1標準偏差（偏差値では40～60）の範囲に全体の約7割（68・3％）が収まっている。

図表11 ベルカーブの世界

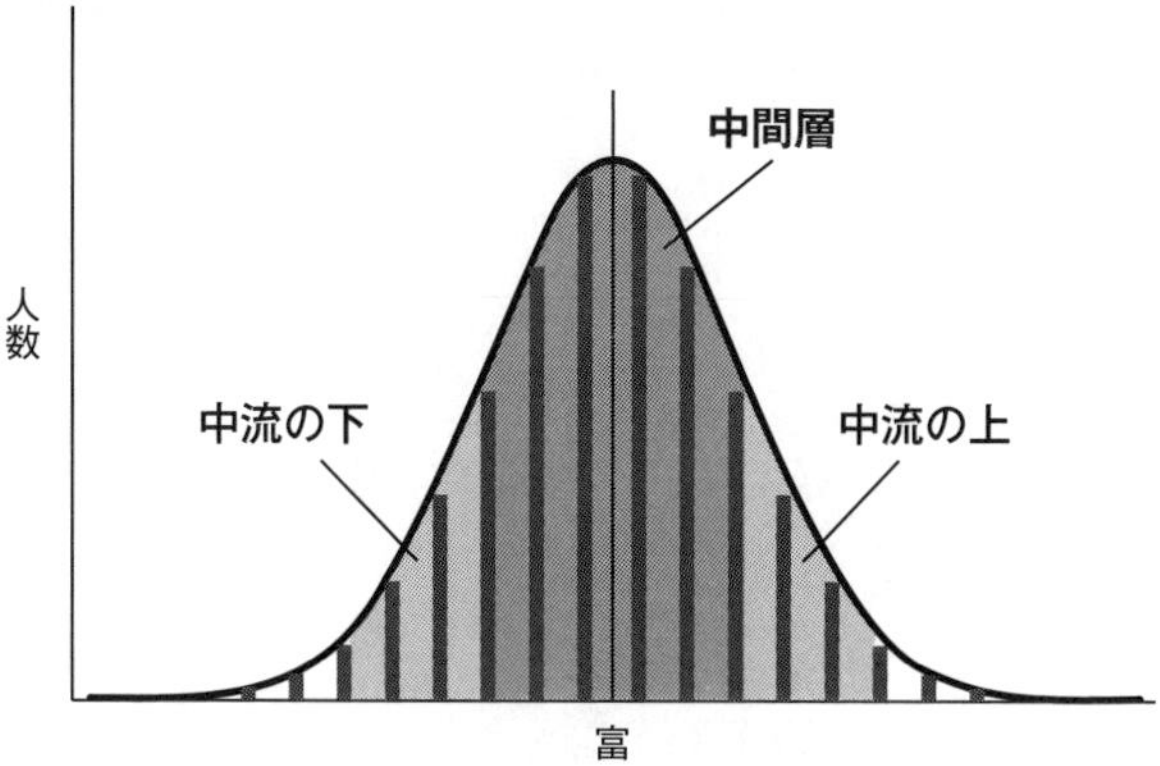

これを「中間層」とするならば、その外側にいる「中流の上」（偏差値60〜70）と「中流の下」（偏差値30〜40）はそれぞれ1割強（13・55%）で、「（広い意味での）中流＝平均値の2標準偏差以内」に全体の95・4%が収まる。まさに、昭和の「1億総中流時代」だ。

だが富のベルカーブは、年を経るごとにベルの頂点が左側に寄り、中間層が減ると同時に、貧困層と富裕層が増えていく。

なぜこのようになるかは、簡単な計算で説明できる。

イソップ寓話の「アリとキリギリス」ではないが、10万円の貯金がある友だち2人がいて、1人は稼いだお金をすべて使ってしまい、もう1人は毎年10万円を貯金し、それを年利5％の複利で運用したとしよう。キリギリス君は1円も貯金しないのだから、いつまでたっても銀行口座は10万円のままだ。それに対してアリ君の貯金は、10年で125万円、20年で330万円と複利で増えていく。同じことを子ども、孫、ひ孫と続けていくと、アリ君一家の貯蓄は80年（4世代）でほぼ1億円に達する。それに対してキリギリス君一家は10万円のままなのだから、なにひとつ不正なことがなくても、2つの家族のあいだには1000倍の経済格差が生じたことになる。

後期近代というロングテールの完成

現実には、年齢が高くなるにつれて収入の差も広がっていくし、昭和の高度成長期なら、無理をして住宅ローンを組んで不動産に（レバレッジをかけた）投資をすれば大きな資産になっただろう。このように「ネオリベの陰謀」などなくても、安定した社会で経済が成長していけば格差は自然に拡大していく。

その結果、やがて図表12のような「ロングテール（ベキ分布）」の世界に至る。複雑系のスモールワールドでは、ほとんどの事象はショートヘッドに集まるが、恐竜の尻尾のよ

図表12 ロングテールの世界

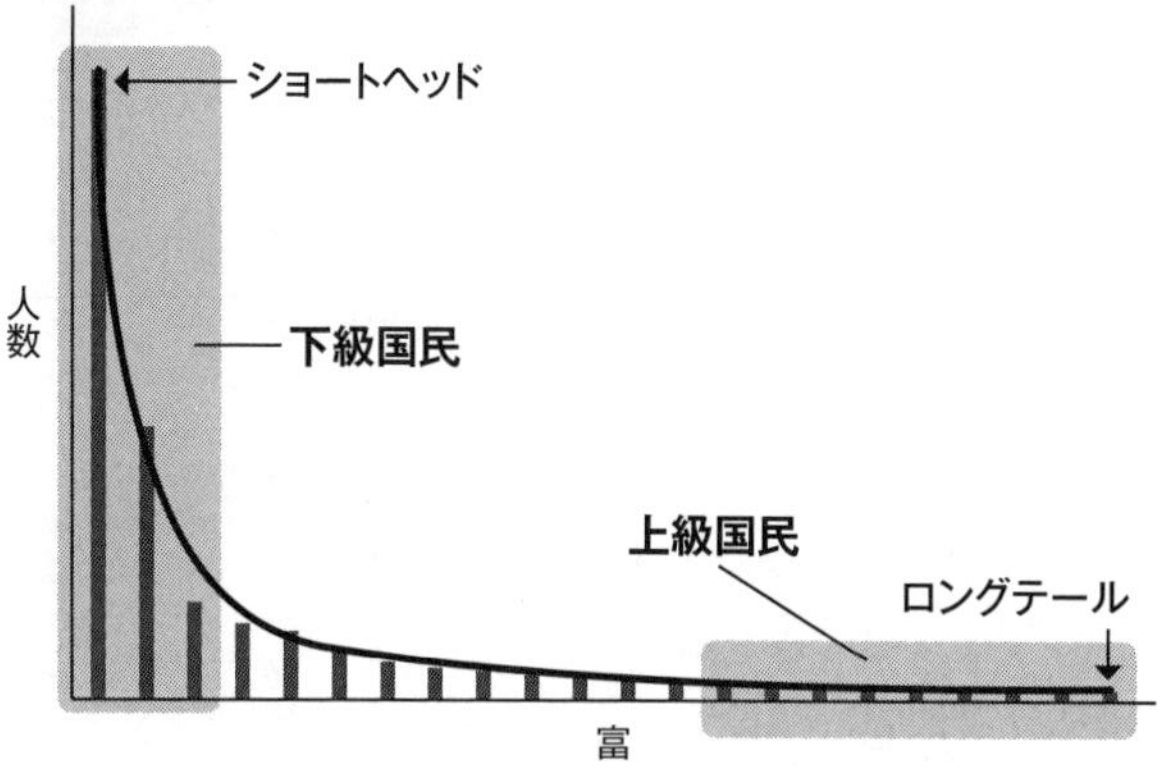

うにテールがどこまでも伸びていって、「とてつもなく極端なこと」が起こる。その典型がインターネットで、大半のホームページはたいしたアクセスがない一方、Yahoo!やGoogle、Facebookのような少数の「ロングテール」に膨大なアクセスが集中する。

富の分布が同じベキ分布なら、最終的には「中流」は崩壊し、ショートヘッドの「下級国民」とロングテールの「上級国民」に分断される。これがアメリカで起きていることで、日本やヨーロッパもそれに続くことになるだろう。前著『上級国民/下級国民』で述べたように、こうして「前期近代（ベルカーブ）」から「後期近代（ロングテール）」への移行が完結するのだ。

平等な世界をもたらす四騎士

アメリカの歴史学者ウォルター・シャイデルは、古代中国やローマ帝国までさかのぼり、人類の歴史には平和が続くと不平等が拡大する一貫した傾向があることを見出した。[50]

ではなにが「平等な世界」をもたらすのかというと、それは「戦争」「革命」「(統治の)崩壊」「疫病」の四騎士だ。二度の世界大戦やロシア革命、中国の文化大革命、黒死病(ペスト)の蔓延のような「とてつもなくヒドいこと」が起きると、それまでの統治構造が崩壊し、権力者や富裕層は富を失って社会はリセットされ、「平等」が実現するのだ。

このように考えれば、戦前までは格差社会だった日本が戦後になって突如「1億総中流」になった理由がわかる。ひとびとが懐かしむ昭和30年代の「平等な日本」は、敗戦によって300万人が死に、二度の原爆投下や空襲で国土が焼け野原になり、アメリカ軍(GHQ)によって占領されて、戦前の身分制的な社会制度が破壊された「恩恵」だったのだ。

ここで「新型コロナウイルスによって不平等は縮小するのか」との疑問があるだろうが、

現実には逆に格差は拡大している。シャイデルのいう「四騎士」に比べて、感染力は強いが弱毒性のウイルスは、巨大な「グローバル資本主義」を破壊するには明らかに「ちから不足」で、給与が減額されたり仕事を失ったりした貧困層の貯蓄が減る一方、旅行や飲食など消費の機会がなくなった富裕層の貯蓄が増え、金融緩和のカネ余りで株価が上昇し資産が膨らんでいる。

世界一の大富豪はアマゾン創業者のジェフ・ベゾスで、その純資産は約20兆円だが、ロングテールの右端に1人だけぽつんといるわけではなく、イーロン・マスクがほぼ同額で並んでいる。米経済誌『フォーブス』の2021年版世界長者番付では、世界には資産10億ドル（約1100億円）を超える「ビリオネア」が2755人いて、前年より660人増えた。その総資産は13・1兆ドル（約1441兆円）で、日本のGDP（5兆ドル）の3倍ちかく、中国のGDP（14・7兆ドル）に匹敵し、アメリカのGDP（21兆ドル）の6割を超える。

億万長者がどこにでもいる世界

スイスの金融機関クレディスイスが毎年発表している「世界の富裕層」レポートによれば、金融資産や不動産資産など総資産から住宅ローンなどの負債を差し引いた純資産で100万ドル（約1億1000万円）を超えるミリオネアは世界で4680万人もおり、この20年間で世界の富は爆発的に拡大した。[51]

アメリカのミリオネアは1861万人で、すべて世帯主として概算すると、総世帯数1億2246万に対して15・2％、6〜7世帯に1世帯はミリオネアになる。同一世帯に住む夫婦や親子がミリオネアということもあるからこの数字は過大だが、それを考慮しても10世帯に1世帯はミリオネアだろう。

以下、同様に概算した主要先進国のミリオネア世帯比率は、

図表13 世界のミリオネア世帯率（概算）

	ミリオネア	総世帯数	ミリオネア率
アメリカ	1861.4万人	1億2246万世帯	15.2%
イギリス	246万人	2641万世帯	9.3%
日本	302.5万人	4080万世帯	7.4%
フランス	207.1万人	3000万世帯	6.9%
ドイツ	218.7万人	4080万世帯	5.3%

クレディスイス「世界の富裕層」レポート（2019）より概算

イギリスが9・3%で10世帯に1世帯、日本が7・4%、フランスが6・9%で14〜15世帯に1世帯、ドイツが5・3%で20世帯に1世帯と推計される（図表13）。経済格差の拡大で貧困が社会問題になっているが、その一方で、億万長者がどこにでもいる世界にわたしたちは生きている。[52]

シャイデルは人類史において、「四騎士」がいなければ社会の格差は開く一方だという。わたしたちが目にしているロングテールの世界は、第二次世界大戦後の「とてつもなくゆたかで平和な時代」が生み出したものだ。

「いかなる犠牲を払っても平等な世界を実現しなければならない」と主張するなら、その前にまず社会全体を「破壊」しなければならない。シャイデルによれば、そのもっとも効果的な手段は「核戦争」で、気候変動による砂漠化も「第五の騎士」になる可能性があるという。

たしかに映画『マッドマックス2』の世界では、生き残ったひとびとはいまよりずっと「平等」に暮らすことになるだろう。

「脱物質化」という奇跡

資本主義がこれまでは全体として人類に大きな恩恵を与えたとしても、平和が続く限り、格差はとめどなく拡大していく。さらに、地球温暖化など気候変動による災厄を避けるためには、経済成長をひたすら追い求める資本主義から脱却しなければならないとの主張が有力になってきた。これはたしかに説得力があるが、事実（ファクト）に照らしてほんとうだろうか？

30年前（1991年）の家電量販店の広告には、15種類の携帯端末型の電子機器が並んでいた。ところがいまや、計算機、ビデオカメラ、クロックラジオ、携帯電話、テープレコーダーなどそのうち13種類がポケットサイズの1台のスマホに収まっている。そればかりか、コンパス、カメラ、気圧計、高度計、加速度計、GPS機能、あるいは大量の地図帳やCDまで、広告に出ていなかった多くのものが加わっている。

経済学者のアンドリュー・マカフィーは、あらゆる経済分野でこうした現象が起きているとして、それを「MORE from LESS」と呼ぶ。より少量の資源（LESS）から、より多くのもの（MORE）を得られるようになったのだ。[53]

産業革命から1970年代まで、工業化にともなって、エネルギーや資源（鉄、アルミニウム、肥料など）の消費量は一貫して経済成長のペースを上回っていた。ひとびとがよりゆたかになろうとすれば、より多くの資源を消費することになるのだから、いずれは地球の有限の資源を使い尽くしてしまうだろう。こうして1970年に第1回アースデイが開かれ、72年にローマクラブが「人口は幾何級数的に増加するが、食料は算術級数的にしか増加しない」として「成長の限界」を警告し、リサイクルや環境保護運動（「大地に帰れ」）がブームになった。

ところが奇妙なことに、1970年頃を境にして、アメリカでは経済成長は続いているのに資源の消費量が減りはじめた。のちに他の先進国や、中国のような新興国でも同じことが起きていることがわかった。

こうした現象は「脱物質化（dematerialization）」と呼ばれ、重要金属（アルミニウム、ニッケル、銅、スチール、金）から農業の作付面積まで、あらゆるところで資源の消費量が減っている。トランプ政権はパリ協定（気候変動抑制に関する国際協定）から脱退したが、それにもかかわらずアメリカのエネルギー消費の合計と温室効果ガスの排出量は減っている。

資本主義とテクノロジーの進歩が「脱物質化」を引き起こし、いまや「セカンド・エンライトメント（第二啓蒙時代）」とも呼ぶべき希望に満ちた世界が到来した。わたしたちは「地球に負荷をかけずにゆたかになれる」のだとマカフィーはいう。

夢をあきらめることはできない

「世界はどんどんよくなっているのか、それとも、どんどん悪くなっているのか？」この問いがいま、深刻な思想的対立を引き起こしている。世界がどんどんよくなっているのなら、その流れを加速させればいい。どんどん悪くなっているのなら、社会・経済体制（システム）を根本的につくり変える必要がある。どちらを信じるかによって政治的立場は正反対になる。

気候変動についてはいまだに論争が続いているものの、ひとたび気温が上昇を始めれば発展途上国を中心に甚大な被害が生じ、地球環境と人類の将来に深刻な問題を引き起こすことは間違いない。温室効果ガスは経済活動によって排出されるのだから、それを抑制しなければならないという主張は理にかなっている。

だが、すでに発展している国（その多くが旧宗主国）が、これから発展しようとしている国（その多くが旧植民地国）に対して、経済成長をあきらめて化石燃料を使うなと強要することはできない。だとすれば、先進諸国が大幅に温室効果ガスの排出を減らすしかない。こうして日本も、2050年までに温室効果ガスの排出量を実質ゼロにする「カーボンニュートラル」を掲げることになった。

だが、グリーンニューディールやSDGs（持続可能な開発目標）だけで気候変動を抑制できる保証はどこにもない。こうして、先進国が率先して「脱成長」を目指すべきだと唱えられるようになった[54]。

だがマカフィーによれば、テクノロジーのイノベーションによって、経済成長と資源消費の減少が同時に進行する「脱物質化」の革命が起きている。だとしたら、気候変動を抑えるもっとも効果的な方法は、資本主義を加速させ、未来を先取りするイノベーションをできるだけ早く手にすることだろう。

マカフィーは人類を救う「希望の四騎士」として、「テクノロジーの進歩」「資本主義」「反応する政府」「市民の自覚」を挙げている。この立場だと、資本主義を減速したり、ましてや放棄してしまっては、空気中の二酸化炭素の固定化や、燃焼させても水しか排出しない水素発電の開発など「地球を救う」イノベーションが遠のくだけだ。

どちらを選択するかで、人類の未来は決まる。「合理的な楽観主義（脱物質化）」か「道徳的な悲観主義（脱成長）」かの行方は、わたしたちの運命にものすごく大きな影響を与えるのだ。

環境保護派は、「脱物質化による二酸化炭素排出量の削減程度では、地球温暖化のペースを抑えることはまったくできない」と批判する。この主張にはかなりの説得力があると思うが、それにもかかわらず、この対立の決着はすでについているのではないか。

道徳的に正しいかどうかは別として、わたしたちは「もっとゆたかになりたい」「自分や家族を幸福にしたい」「自分らしく生きたい」という夢をあきらめることはできない。そして金融資本主義と自由市場経済は、この〝夢〟をもっとも効率的にかなえてくれる。

ヒトに欲望があるかぎり、資本主義から「脱却」することはできないだろう。

「苦しまずに自殺する権利」を求める理由

本書の冒頭で、日本の若者が将来に大きな不安を抱え、「苦しまずに自殺する権利」を求めていることを紹介した。そのアンケートを読んでみると、彼ら／彼女たちの困難の背景には日本社会に特有の問題があることがわかる。それは「超高齢化」だ。

医療経済学者の永田宏は、医療の進歩などで死亡率が年々低下することを勘案すると、1987年生まれの男性の4人に1人が101歳、女性の4人に1人が107歳まで生きると予測している。[55] 60歳で退職してから半世紀ちかい余生があるという、ある意味SFの世界が現実になってきた。わたしたちはいつのまにか、「どんなに嫌でも生きてしまう」未知の世界に放り込まれたのだ。

いまの若者たちは、1世紀を超える人生を生きなければならないという途方もない難題を背負わされている。

日本には100万人を超える「ひきこもり」がおり、80歳の親が50歳の子どもの面倒を見なければならない「8050問題」が顕在化してきた。だがこれは逆にいうと、いまの若者が50歳（60歳）になっても、80歳（90歳）の親がいるということだ。

それに加えて超高齢社会では、高齢者の年金や医療・介護を支える現役世代の数がどんどん減っていくのだから、社会保障の財源は逼迫する。アンケートのなかでも、「自分たちの世代は年金をもらえない」との声はきわめて多い。

非正規の不安定な仕事で収入が少なく、満足に貯蓄もできない。定年になっても微々たる年金しか受給できそうもない。それにもかかわらず親の介護をしなければならず、結婚もしなければ子どももいない自分たちには「孤独死」が待っているだけだ――。こうして、合理的な結論として、「苦しまずに自殺する権利」を求めるのだろう。

日本の若者たちのとてつもなく大きな不安は、ひと言でいうなら、「高齢者に押しつぶされてしまう」だ。皮肉なことに、日本社会を覆う閉塞感は、日本人が人類史上、未曾有の長寿と健康（幸福）を実現した結果なのだ。

若者たちの不安を解消し、夢や希望をもてるようにするには高齢者の既得権を減らさなければならない。だがいまでは、70歳以上の団塊の世代がもっとも大きな影響力をもつ有権者で、テレビや新聞などのマスメディアを支える視聴者・読者でもある。

日本社会にとって高齢者批判は最大のタブーなので、現実を直視せずにこの理不尽な事態を説明するにはなにか別の「犯人」が必要だ。このようにして「格差」や「貧困」あるいは「資本主義」への批判が声高に語られるのだ。

45 OXFAM International (2020) *Time to Care*, (2021) *The Inequality Virus*
46 ブランコ・ミラノヴィッチ『大不平等　エレファントカーブが予測する未来』みすず書房
47 「「K字経済」住宅価格にも　都心は上昇・近郊は低迷」日本経済新聞２０２１年4月25日
48 アティフ・ミアン、アミール・サフィ『ハウス・オブ・デット』東洋経済新報社
49 ベノワ・B・マンデルブロ『フラクタリスト　マンデルブロ自伝』早川書房
50 ウォルター・シャイデル『暴力と不平等の人類史　戦争・革命・崩壊・疫病』東洋経済新報社
51 Credit Suisse (2019) *The Global wealth report*
52 一世帯に複数のミリオネアがいることもあるから、実数はこれより少ないだろう。
53 アンドリュー・マカフィー『MORE from LESS（モア・フロム・レス）資本主義は脱物質化する』日本経済新聞出版
54 斎藤幸平『人新世の「資本論」』集英社新書
55 「平均寿命は嘘をつく　2人に1人は１００歳超まで生きる衝撃データ」マネーポストＷＥＢ ２０１8年12月4日（初出『週刊ポスト』２０１8年12月14日号）

8 「よりよい世界」をつくる方法

「排外主義者たちの夢は叶った」という衝撃的な一文から始まるのが、在日韓国人三世の作家・李龍徳《イ・ヨンドク》の『あなたが私を竹槍で突き殺す前に』だ。

近未来の日本では、特別永住者の制度は廃止され、外国人への生活保護が明確に違法になり、公的文書での通名の使用が禁止されている。ヘイトスピーチ解消法も廃され、教科書から「従軍慰安婦」「強制連行」「関東大震災朝鮮人虐殺事件」などの記述が消えた。多くのパチンコ店や韓国料理屋、韓国食品店は嫌がらせなどによって廃業に追い込まれ、世論調査によると韓国に悪感情をもつ日本国民は9割ちかい。

このディストピアを生み出したのは日本初の女性総理大臣で、同性婚を合法化し、選択的夫婦別氏制度を実現し、労働力としての移民を受け入れるなどリベラルな政策を推進する一方で、在日コリアンだけを攻撃対象にしている。さらには、「日本人」のみのベーシックインカム支給を公約に掲げる「リベラル」な新興政党も登場する。[56]

ユニバーサル・ベーシックインカム（UBI）は収入や資産にかかわらず全員一律に毎月定額を支給する最低所得保障制度で、日本ではもともとリベラルのあいだで広まったが、橋下徹時代の「維新の会」が政策に掲げたことで注目を集め、近年では竹中平蔵のような〝ネオリベ（新自由主義者）〟や、オリックス元会長・宮内義彦のような経済人も積極的に提唱している。

UBIにはさまざまなメリットがある（だからこそ多くの賛同者がいる）が、その一方で、「財源をどうするのか」「労働意欲がなくなるのではないか」などの強い批判がある。だが不思議なことに、この制度の致命的な欠陥についてはほとんど議論の俎上にのぼることがない。それが、「誰に支給するのか」だ。

移民にもUBIを支給するのか

ジャーナリストのアニー・ローリーは、進歩的左翼の立場から、「賃金払いの条件は、あなたが、ただそこで生きていること」というUBIに希望を見出し、その実現可能性を探るために、政治家、経済学者、シリコンバレーの投資家、ファストフードで働くシングルマザーなどにインタビューし、欧米だけでなく実験的にUBIを導入したアフリカやインドにまで足を延ばして取材した。[57]

この旅でローリーは、UBIにはよりよい未来をつくる大きな可能性がある一方、さまざまな課題があることにも気づかされた。それでも、経済格差や人種差別、女性（シングルマザー）の貧困など、現代社会が抱える多くの難問をUBIが解決できるという楽観論は一貫している。

だがそんなローリーですら、「移民にもUBIを支給するのか」との問いにはひるまざるを得なかった。

経済学者のジョージ・ボージャスは、移民がより恵まれた給付制度のある国に集まってくる「福祉磁石（ウェルフェア・マグネット）」について論じ、保守派から多くの賛同を得た。だが夫婦でノーベル経済学賞を受賞した開発経済学者のアビジット・バナジーとエステル・デュフロによれば、実際には、移民は現地の失業率を上げることなく地域経済を活性化し、福祉の給付額より多くの税金を納めている。[58]

これは心強い事実だが、しかし、気前のいいUBIを実施しても「福祉磁石」を避けられるかどうかは、当然のことながらどこもやったことがない以上、知りようがない。

アメリカはきわめて「多様性」に富む社会で、市民権をもつ「国民」のほかに、グリーンカードを所持する永住者、就業ビザで働く合法的な移民、ビザなしで就業する不法移民などが混在している。国籍は出生地主義なので、両親が不法移民でもアメリカ国内で出生した子どもは無条件に市民権が付与される。

こうした状況でUBIを実施したら、いったいどうなるだろう。

「反移民感情が深まり、反移民的な制限や政策の施行に拍車をかけるのではないか」とローリーは懸念する。「また、二重労働市場の創出を促し、企業が自国生まれの市民よりもはるかに安く雇える人材として不法労働者を求めるようになるかもしれない。あるいは人的な流入のない国家になって、経済が硬直化し新鮮さを失っていくかもしれない。UBIが卑劣な人種差別の助長につながることがあるかもしれない」

この問題はどのように解決できるのか。これについてローリーは、一行、こう書くだけだ。

答えは簡単には出ない。進歩主義者にとっては特に直視しづらい問いである。

「日本人」はいくらでも増やせる

ベーシックインカムをめぐる議論では、移民や外国籍の居住者（彼らも国内で働いていれば所得税・住民税、社会保障費などを納めている）の受給資格をどう考えるかですらほとんど論じられない。UBI推進論者がこの話を避けたがるのは、いったん問題提起すれば議論百出のやっかいな事態になるとわかっているからだろう。

だが現実には、UBI受給者を国民に限定したとしても大きな混乱が予想される。それは、「日本人」の家族をいくらでも増やせるからだ。

この話は前著『上級国民／下級国民』でも書いたが、現在の日本の法律では、日本人の親から生まれた子どもは無条件に「日本人」と認められる。日本人の男／女が海外で婚姻した場合は、妻／夫は帰化の手続きをとらなければ「日本人」になれないが、子どもは出生届を現地の大使館・領事館に提出するだけで日本国籍が付与される。

世界銀行のレポートによれば、世界には1日1・9ドル（約200円）以下で暮らす貧困層が世界人口の9・4％、7億3000万人もいる（2020年）。年収に換算すれば、わずか8万円以下にしかならないひとたちだ。――以下の記述では簡便化のため、1ドル＝100円で計算する。

UBIの支給金額にはさまざまな案があるが、ここでは欧米で広く使われている「1人毎月1000ドル（≒10万円）」としよう。夫婦と子ども2人の家族なら月額40万円、年収480万円だから、憲法で定められた「健康で文化的な生活」はじゅうぶん可能だ。

アフリカや中南米、東南アジア、南アジアなどには、貧困のため将来になんの希望もない若い女性がたくさんいる。そこで日本人男性が18歳以上の貧しい女性と結婚し、妻が30代半ばになるまでに10人の子どもを産んだとしよう。これで、（子どものUBIだけで）月額1000万円、年1200万円の収入が働かずに自分のものになる。

こうした取引は非人間的に思えるかもしれないが、最貧困の女性にとってはけっして悪いものではない。先進国での快適な暮らしと、たくさんの子どもたちとの「家族のきずな」が手に入るのだから。

だが話はこれでは終わらない。妻が出産適齢期を過ぎたら（慰謝料を払って）離婚し、18歳の女性と再婚してまた10人の子どもをつくることができる。男の場合は60代まで生殖能力があるから、これを3回繰り返すことはじゅうぶん可能だし、精子を冷凍保存しておけば生きているあいだずっと（100歳でも）子どもを産ませることができる。

こうした極端なケースを除いて、生涯に30人の子ども（男女半々）ができたとして、息子が同じように30人の子どもをつくり、娘は10人の子どもを産むとしよう。すると孫の数は600人（息子の子ども450人＋娘の子ども150人）になり、月6000万円、年7億2000万円のUBIが入ってくる。

しかし、これでも話は終わらない。この孫のうち、男女が半々として、やはり全員が同じように子どもをつくるとすると、ひ孫の数は1万2000人になる。これでUBIは月額12億円、年144億円だ。もしあなたが20代前半でこれを始めたとしたら、30代で億万長者、80代か90代でビリオネア（資産1000億円）になれるだろう。

バカバカしいと思うだろうが、これは1家族の実現可能なシミュレーションだ。同じことをやる日本人の男が何万人、何十万人と出てきたら、いったいどうなるのか？　これはけっして荒唐無稽な想定ではない。なんといっても、大金持ちになるためにやることはセックスだけなのだから。——「先進国の男たちの欲望によって世界から貧困層がいなくなる」という別の理想主義を唱えることは、原理的には可能かもしれないが。

こうした事態を避けようと思えば、誰が「日本人」で誰がそうでないかを厳密に区別するほかない。たとえば国家が「日本人遺伝子」を決めて、それを70％超保有している場合にしかベーシックインカムの支給対象にはしない、とか。これはまさに「優生学」そのものので、UBIの理想が実現すれば、わたしたちは人類史上もっともグロテスクな「排外主義国家」の誕生を目にすることになるはずだ。

MMTへの3つの疑問

新型コロナが経済活動を直撃したことで、欧米や日本など先進国を中心に各国が大規模な財政拡張を余儀なくされ、ＭＭＴ（現代貨幣理論）への注目度が上がっている。ＭＭＴは「主権通貨を発行する政府は破産し得ない」とし、アメリカや日本のような主権通貨をもつ国は、（インフレになるまで）無制限に財政を拡張できると主張する。この理論の当否は本書では立ち入らないが、以下の３点のみを指摘しておこう。[59]

第一に、ジンバブエやベネズエラを見れば明らかなように、政治的な主権のある国が自動的に通貨の「主権」をもつわけではない。通貨の主権は明らかにベキ分布していて、基軸通貨である米ドルがロングテールの端にあり、大多数の通貨がショートヘッドを構成する。ＭＭＴは（圧倒的な「主権」をもつ）米ドルを前提としており、それが他の通貨にそのまま適用できるわけではない。

第二に、国際金融市場で決済通貨として使われるハードカレンシーには通貨の「主権」があるかもしれないが、そこにも主権の強弱がある。基軸通貨である米ドルは、決済通貨として国外で大量に保有され、「政府がドル紙幣を印刷するだけで、国民は好きなだけ（タダで）買い物できる」と揶揄されるような途方もないシニョリッジ（通貨発行益）を得ているから、ＭＭＴ派がいうように、アメリカには相当大きな財政拡張余地があるだろう（実際、コロナ禍で数百億ドル＝数兆円規模の経済対策を次々と繰り出しても、株価は上がったものの金利やインフレ率が急上昇する気配はない）。米ドルに次ぐ「基軸通貨」の候補はユーロと人民元で、日本円はイギリスポンドと並んでその下に位置づけられる。日本円を米ドルと同等に扱うことはできないし、「主権」通貨の座にぎりぎり引っかかっているのか、すべり落ちかけているのかもわからない。

第三に、ＭＭＴはマクロ経済学の（異端の）一派だが、そもそもマクロ経済学自体が「科学」から脱落しつつある。ベノワ・マンデルブロは、市場は複雑系のスモールワールドで、加減乗除に微積分、正規分布の統計学を加えた程度の単純な数式で記述できるわけがないとして、マクロ経済学を「科学」とは見なさなかった。その予言どおり、経済学の主流はゲーム理論やネットワーク理論、ビッグデータを使ったＡＩの機械学習などに移行しつつあり、既存のマクロ経済学の理論に照らして正しいかどうかを議論することにさしたる意味はない。

国家が「最後の雇い手」になる

とはいえ、ＭＭＴ派の主張のなかには真剣に検討すべきものもある。それが「最後の雇い手（ＥＬＲ：Employer of Last Resort）」で、中央銀行の「（市中銀行への）最後の貸し手（Lender of Last Resort）」をもじったものだ。

ＭＭＴはポスト・ケインジアンの一潮流なので、政府の役割は「完全雇用」を達成することだとする。民間企業が「スキルや教育水準に見合った報酬の高い仕事」を労働者に提供できない場合は、国家が財政資金を使って雇用を生み出すべきだというのだ。

トランプ現象の背景にあるのが貧困（経済格差）ではなく、労働者の尊厳を奪う失業であることが明らかになるにつれて、左派（レフト）のあいだで、政府が労働市場に積極的に介入すべきだという主張が勢いを増している。「最後の雇い手」もそのひとつで、「働く用意がある適格な個人なら、誰でも職に就けるように政府が約束する雇用保障プログラム（job guarantee）」とされる。

「ＭＭＴによる財政拡張でＵＢＩを実現すればいい」との主張も一部にあるが、ＭＭＴ派の代表的な経済学者であるL・ランダル・レイは、UBIを「現代の衣装をまとった福祉」で、「過去に失敗した政策」だと否定している。その理由は、「福祉を増進しても、失業と貧困の問題は決して解決しない」からだ[60]。

無条件で現金を給付するUBIは就労と所得を切り離すから、働くことは「どうでもいいこと」だ。働かなくても安楽に暮らしていけるのだから、仕事は趣味と同じで、「やりたいひとだけがやればいい」ことになる。

それに対して「最後の雇い手」では、仕事こそが人間の尊厳の源泉で、失業による精神的な損失はお金を受け取るくらいではとうてい埋め合わせられないとする。仕事を通じて顧客から感謝され、社会から認められることで、ひとびとは幸福を感じるのだ。

ここまではきわめて真っ当な主張だが、知りたいのは「政府はどういう条件でどんな仕事を提供するのか」だろう。

「政府による雇用保障」プログラムとは?

「政府による雇用保障」とはどのようなものなのか、プロググレッシブ(進歩派)のシンクタンクが公表している「最後の雇い手」政策の概要を見てみよう。[61]

コロナ前の2017年に、アメリカには660万人の（公式の）失業者、490万人のフルタイムで働くことを希望するパートタイム、590万人の非公式の失業者（求職活動をしていないため失業者とカウントされないひとたち）がおり、合計は1680万人になる。ここから、「最後の雇い手」プログラムの参加人数は1100万〜1600万人と推計される。

プログラム参加者は、時給15ドル（約1500円）の統一賃金と、健康保険、育児休業給付、有給休暇、退職金などの福利厚生を提供され、手取り年収3万1200ドル（約310万円）、福利厚生込みで年3万7440ドル（約370万円）になる。ただしこのプログラムには昇進・昇給はなく、どれだけの年数働いても時給は変わらない。——これが「雇用の最低条件」になるため、民間企業が労働者を採用しようとすれば、これを上回る条件を出さなければならない。

プログラムは連邦政府が資金を提供し、自治体や地域コミュニティ、NPOなどによって運営されるが、営利事業ではないので民間企業とは競合せず、公務員が従事している仕事を代替することともない。プログラム参加者は図書館や小中学校でアシスタントをすることはできるが、図書館司書や教師の業務は認められない。

こうした制約から、プログラムが提供する仕事は主に「環境へのケア」「コミュニティへのケア」「ひとびとへのケア」になる。

環境へのケアは「グリーンニューディール」の一環とされるが、国立公園の管理や空き地・休耕地の再活用といった仕事だ。コミュニティへのケアは、荒廃した空き家や公共スペースを清掃したり、学校の庭を整備し児童公園をつくったりする仕事だ。ひとびとへのケアは、高齢者の介護や学童保育のほかに、「危険な若者」「前科のある者」などのための特別教育も含まれる。「最後の雇い手」プログラムの参加者（失業者）のなかにはこうしたハンディキャップのある者が大量に含まれており、その者たちにいきなり高齢者介護や子どもの世話をさせるわけにはいかないからだ。

提供されるプログラムとしては、「画家や俳優、音楽家などを雇用してサマーキャンプや無料の芸術スクールを運営する」ようなものも想定されているが、そのほとんどは（3Kにちかい）肉体労働だ。これは、「民間企業とも公務員とも競合しない時給仕事」という条件から当然のことだろう。ほんとうにすぐれたアーティストは、時給１５００円の仕事はしないのだ。

資本主義より残酷なディストピア

アメリカには（日本にも）、働きたくても仕事がないとあきらめているひとや、複数のアルバイトを掛け持ちしないと生活できない貧困層がたくさんいる。「最後の雇い手」はこうしたひとたちにとっては大きな救済になるだろうが、失業者が提供される仕事に「自尊心」を感じるかどうかは定かではない。――「歌手」や「役者」として雇用され、不本意ながら高齢者介護施設などで学芸会のようなパフォーマンスをする「芸術家」に尊厳はあるだろうか。

失業中の若者に自治体が仕事を提供するプログラムはイギリスや北欧諸国で導入されているが、公園の清掃のような「汚れ仕事」を嫌って、失業保険から障害年金への大規模な移動が起こり、大きな社会問題になった。障害年金を受給するには精神科医から「うつ病」などの認定を受けねばならず、これによって労働市場から排除されてしまうのだ（「障がい者」として一生、国の飼い殺しになる)。

こうした難問を乗り越えて、1000万人を超える失業者、低所得層が参加を望むプログラムが実現できたとしても(私は懐疑的だが)、次のような明確なヒエラルキーができることは間違いない。

①民間企業の社員や自営業者など、自らの人的資本(メリット)を評価されて働き、収入を得ているひとたち
②「最後の雇い手」プログラムで時給1500円の仕事をするひとたち
③「最後の雇い手」プログラムにすら参加できず、ベーシックインカムなどの現金給付に頼って生活するひとたち

このような階層社会では、自分のちからで稼ぐ者は「上級国民」、現金給付(国家からのお恵み)で暮らす者は「下級国民」になる。「最後の雇い手」プログラムの参加者が「尊厳」をもてるとしたら、「下級国民」を徹底的に差別するときだけだろう。

プログレッシブの理想論は、資本主義の現実をディストピアとして否定し、より残酷なディストピアをつくるだけのことのようにも思える。

功利主義的な富裕税

MMT派は「大規模な財政拡張によって「最後の貸し手」のような理想主義的な政策を実施すればいい」という。それに対して同じプログレッシブには、富裕税を財源とする財政拡張を求める一派があり、バイデン政権で影響力を増している。

ここで、「MMTの財政拡張と富裕税は両立するのではないか」と思うかもしれないが、そういうわけではないらしい。MMT派の主導的な経済学者の一人ステファニー・ケルトンは2019年に、「富裕層は彼ら自身のプロパガンダの犠牲者である」をブルームバーグに寄稿し、「小さな政府と財政均衡に固執していては富裕税導入の主張が強まるばかりだから、富裕層こそがMMTを支持すべきだ」と主張した。[62] MMT派にとっては、財政赤字をファイナンスするために（そもそもそんなことをする必要はないのだから）財源を議論すること自体が社会の分断を煽ることになるのだ。——これがヘッジファンドマネージャーやシリコンバレーの起業家など一部の超富裕層がMMTを支持する理由だろう。

このように、左派（レフト）の内部でMMT派と富裕税派は財政政策で真っ向から対立する。そこで次に、富裕税派の主張を見てみよう。

「ウォール街を占拠せよ」の運動に影響を与えた経済学者のエマニュエル・サエズとガブリエル・ズックマンは、1億人を超えるアメリカ人が年収200万円程度の生活をしているのに対し、約1割の上位中流階級（2200万人）の平均所得が22万ドル（約2200万円）、上位1％（240万人の富豪たち）の年間平均所得が150万ドル（約1億5000万円）という極端な経済格差はとうてい正当化できないとして、高率の富裕税による所得移転を提案している[63]。

ここで強調したいのは、2人が「金持ちは不道徳だから罰するべきだ」と主張しているのではないことだ。彼らの論理は、哲学者ジョン・ロールズの『正義論』の〝無知のベール〟で説明できるだろう。

道徳的な議論を脇に置いて、この問題を徹頭徹尾、功利主義的に考えるならば、税制の目的は社会全体の厚生を上げることだ。ロールズは、最大限の自由を前提として、公正な社会を実現するためには「もっとも不遇な立場にある者の利益を最大にすべきだ」と説いた。

トランプでもマージャンでも、手札や配牌を見ない状態で決めたルールがもっとも公正で、自分の手が有利か不利かを知ったうえで主張されたルールが不正であることは誰もが同意するはずだ。同様に、ゆたかな国の富裕層の家庭に生まれるのか、途上国の貧困家庭に生まれるのかがわからない状態（無知のベール）で、どのような社会が望ましいかを問えば、誰もが最悪の境遇でも（外れくじを引いても）生きていけるだけの最低限の保障を求めるだろう。

富裕層への課税を経済学的に正当化できるのは、「お金の限界効用は逓減する」からだ。貧困層にとって100万円は大金だが、資産20兆円のジェフ・ベゾスにとっては増えようが減ろうが気づきもしないだろう。だとしたら、国家が権力（暴力）を行使して超富裕層から最貧困層に所得を移転することで社会全体の厚生は拡大するはずだし、こうした政策を功利主義者は支持するだろう。

もちろん、累進税率は高ければ高いほどいいわけではない。高額の収入に100％の限界税率を課せば、ほとんどのひとは一定の収入に達したら働くのをやめてしまうだろう。したがって「最適課税」の第一のルールは、「最高税率の引き上げにより税収が減るのであれば、税率は引き下げた方がいい」になる。

しかしこれは、逆にいえば「税率の引き上げにより税収が増えるのであれば、税収が増えるかぎりいくらでも税率を引き上げた方がいい」ということだ。これが第二のルールで、功利的に考えれば、「富裕層に最適な税率とは、できるだけ多くの税収を生み出せる税率」なのだ。

超富裕税が〝左派ポピュリズム〟の主流へ

サエズとズックマンは、国際協調によってタックスヘイヴンを使った租税回避を封じることを前提に、年間所得50万ドル（約5000万円）以上の最高限界税率を90％に引き上げるだけでなく、「10億ドル（約1000億円）を超える財産に10％の限界税率というかなり高めの富裕税を課す」ことを提案している。——「富裕税」というと、年収1000万円や資産1億円（億万長者）の〝富裕層〟への増税というイメージが強いが、彼らの主張は年収5000万円超、資産10億円超なのだから〝超富裕税〟と呼ぶべきだろう。

累進課税の所得税の最高税率を「100%ちかいレベル」にするのは、レントシーキング（レント＝超過利潤を求めてどんなことでもする強欲）が目に余るようになってきたからだ。「1ドル稼ぐごとに90セントを内国歳入庁に持っていかれるのであれば、2000万ドルもの報酬を手に入れたり、ゼロサム金融商品を生み出して数百万ドルを稼いだり、特許薬の価格を吊り上げたりする意味はなくなる」はずだという。

もちろんこれには、「イノベーションを阻害する」との反論があるだろう。だがいまや社会に役立つ創意工夫よりも、強欲のためのさまざまな悪知恵ばかりが目立つようになった。最高税率が引き下げられてイノベーションが促進されたとしても、レントシーキングが活性化するだけだ。超高所得に対して100%ちかい税率を課せば、「経済力が分散され、税引き前所得の格差が縮小し、市場での競争が活発化する」はずだという。

だがこれだけでは、持続不可能なレベルにまで広がった経済格差を縮小させるにはちから不足で、この限界を突破するのが高率の資産課税だ。

「10億ドル超の資産に10%」というのは超富裕層に対する懲罰的な課税だが、仮に数十年前から高率の超富裕税を課したとしても、マーク・ザッカーバーグの2018年の財産は210億ドルに達していた（同年の実際の財産は610億ドルで、およそ3分の1に縮小した）。ザッカーバーグの財産が、はじめて10億ドルを超えた2008年以来、年40％の割合で増加しているからで、「年率10％の富裕税を課しても、これほどの勢いで増加する資産は抑えられない」のだ。

しかしビル・ゲイツ場合、10％の超富裕税によって2018年の970億ドルが40億ドルほどへと25分の1まで縮小する。ゲイツはすでに30年以上にわたり10億ドルを超える財産を所有しているため、「高い富裕税による財産を削り取られる期間」も長くなるのだ。

もちろんこれでは、ビル＆メリンダ・ゲイツ財団やソロス財団のような社会貢献のための財団は運営できなくなるかもしれない。だが功利主義的に考えるならば、超富裕税を財源とした国民皆保険や保育無償化、教育費の軽減などによるアメリカ社会全体の厚生の増加は、それを補ってあまりあるというのが著者たちの立場なのだろう。

サエズとズックマンの試算では、超富裕税導入と同時に逆進的な売上税（消費税）を廃止すれば、上位5％を除くすべての社会階層で、現在よりも（社会保険料を含めた）税金の支払いが少なくなるという（所得の中央値あたりでは、平均税率が38％から28％まで下がる）。

超富裕税の魅力は、なんといってもそのわかりやすさだ。富の分布はどんどんロングテールになっているのだから、長く伸びた尾（超富裕層）からショートヘッドへと再分配すればいいという理屈は、小学生でも理解できる（図表14）。

民主的な社会では、市民（有権者）の95％が得をする提案が受け入れられる可能性はじゅうぶんにあるだろう。それに対して、超高齢社会では政治的な実権を握る退職世代の多くは年金だけで生活しているため、「国家破産」を極端に恐れている。「増税なしの財政拡張」を唱えるMMTは「そんなことをすれば財政が破綻して年金制度が崩壊する」との批判にきわめて脆弱だが（有権者は直感的に不安を抱く）、超富裕税なら「財政を悪化させずにみんな（95％の国民）がゆたかになれる」と主張できる。どちらがこれからの〝左派ポピュリズム〟の主流になっていくかは明らかではないだろうか。

事実、バイデン政権は国際協調による法人税率引き上げと、富裕層への課税強化を財源に大規模な財政拡大へと舵を切った。これはいずれも、トマ・ピケティなど富裕税を唱え

図表14 超富裕税による再分配

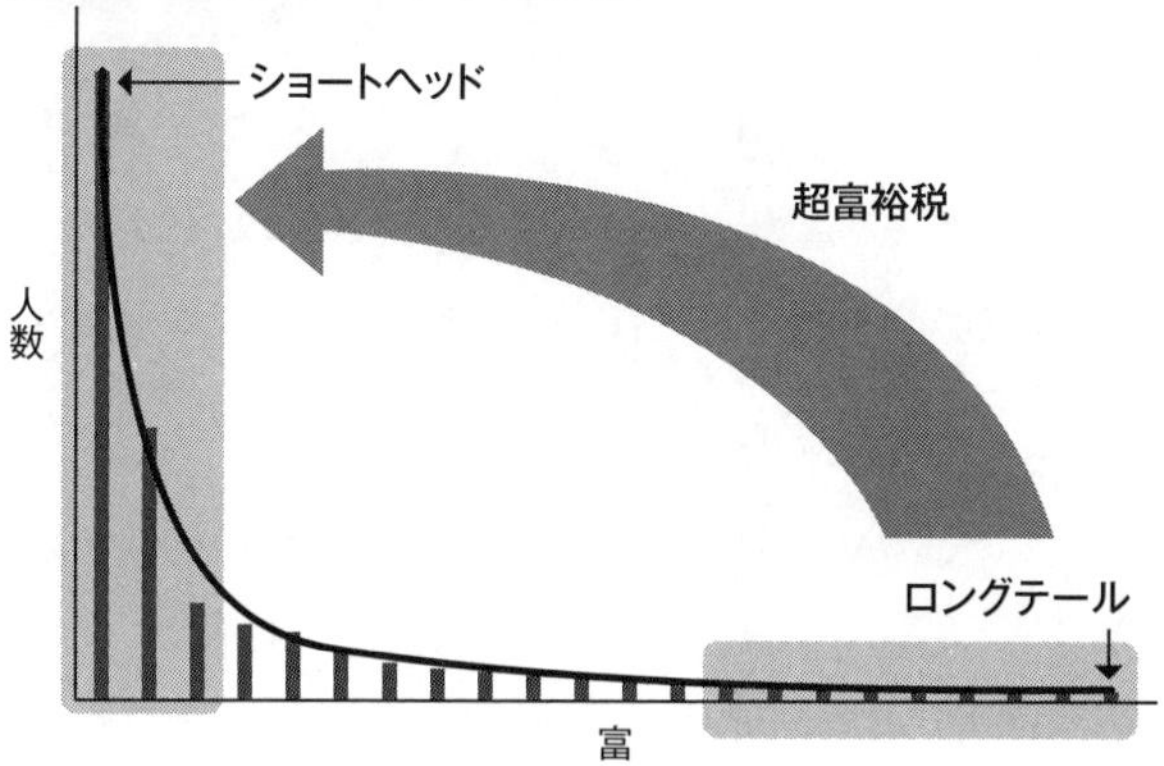

る左派（レフト）の経済学者の年来の主張で、すでに政策論争の決着はついたようだ。

とはいえ、超富裕層への懲罰的な課税が功利主義的には正当化できるとしても、道徳的に正当化できるかどうかについては侃々《かんかん》諤々《がくがく》の議論が起きることは間違いない。さらに、超富裕税で想定どおりの税収が得られるかは、株式市場の仕組みを考えれば疑問もある。

ジェフ・ベゾスやイーロン・マスクは帳簿上、20兆円もの莫大な資産をもっているが、そのほとんどはアマゾンやテスラの株式を時価評価した、いわばヴァーチャルなものだ。超富裕税が導入されると、納税資金を得るため、毎年資産の10％の株式を市場で売却して現金化しなくてはならないが、これによってアマゾンやテスラの株価が大きく下がるかもしれない。そうなれば保有資産の時価評価も縮小し、その分だけ税収も減ることになる。これでたしかに経済格差は改善するだろうが、それは市場＝社会全体の富が失われる「縮小均衡」のようにも思える。

さらに、超富裕税は超富裕層がたくさんいるアメリカだからこそ成立する税制で、ビリオネア（資産1000億円超）が50〜60人程度しかいない日本ではたいした税収増にはならない。今後、増えつづける社会保険給付でさらに財政が逼迫すれば、年収1000万円や資産1億円といった「努力して経済的成功をつかんだ小金持ち（富裕層）」への懲罰的な課税が行なわれる可能性が高いことも指摘しておこう。

結婚に失敗すると社会の最底辺に突き落とされる社会

日本は社会的な性差を示すジェンダーギャップ指数で156カ国中120位と世界最底辺で、それを象徴するのが、ひとり親（その大半が母子家庭）の貧困率が異様に高いことだ。平均的な所得の半分に満たないのが「貧困線」で、コロナ前の2016年のデータでは、日本は（年収122万円の基準を下回る）シングルマザーの貧困率がOECDのなかで韓国、ブラジルに次いで下から3番目で、「格差大国」のアメリカはもちろん中国より貧困率が高い。母子家庭の母親が働いて得る平均年収は243万円で、児童扶養手当などを入れても世帯年収は348万円にしかならない。

日本の母子家庭のもうひとつの特徴は、就労率がきわめて高いことだ。母子家庭の81・8％が就業しており、これは女性が働くのが当たり前のデンマークやスウェーデンより高く、先進国で最高だ（アメリカやドイツは70％弱、イギリスは50％）[64]。

なぜこのようなことになるかというと、日本では就労可能性（働く能力）がある場合は生活保護の受給資格がないからで、身体的・精神的障害などによって働けないと認定された者以外は福祉事務所の就労指導の対象になる。その一方で、彼女たちの約半数が「パート・アルバイト等」の非正規の仕事をしており、正社員と非正規の「身分差別」によって劣悪な労働環境を強いられ、低収入の生活を余儀なくされている。

母子家庭になるのは離婚したからで、貧困に陥るのは別れた夫（父親）が養育費を払わないからだ。責任は男にあるが、なぜか日本では、最近まで養育費の不払いはほとんど問題にならず、母子家庭の生活保護不正受給だけがバッシングされている。こうした日本社会の現状を見れば、若い女性が「結婚して子どもを産んでもなにひとついいことがない」と思っても無理はない。

結婚とは赤の他人といっしょに暮らすことだから、続けられるかどうかは、やってみないとわからない。「やさしかった夫が、子どもができたとたんに豹変した」などという話はいくらでもある。結婚に失敗することは、誰にでも起こり得る交通事故みたいなものだ。

ふだんは安全運転のドライバーも、ちょっとしたミスで交通事故を起こすことがある。それで全財産を失ったり、刑務所に放り込まれるのでは、運転するひとは誰もいなくなってしまう。そこで自動車保険に加入して、飲酒運転など明らかな過失があるものを除けば、本人の負担を最小限にして保険で解決するようにしている。

ところが結婚では、子どもができてから離婚すると、父親は責任を問われることが（ほとんど）なく、母親だけが社会の最底辺に突き落とされる「自己責任」にされてしまう。少子化で大騒ぎしている日本社会は、「子どもを産むな」という強烈なメッセージを送っているのだ。——ようやく日本でも、子育てや教育に一体的に取り組む「子ども庁」を創設しようとしているが、これで母子家庭の貧困がどの程度改善するかはわからない。

「積極的雇用政策」は誰に有効なのか

労働市場から排除されてしまったひとたちの雇用や賃金の増加を図る政策が「積極的雇用政策」で、「公的な職業紹介、職業訓練、補助金による雇用促進、公共部門による直接雇用」などが含まれる。

一般的には、積極的雇用政策は失業保険給付と組み合わされている。イギリスのブレア政権が導入した政策では、18～24歳の失業者は、失業保険給付開始から6カ月以内に「若者のためのニューディール（New Deal for Young People）」というプログラムへの参加を義務づけられ、拒否すると失業保険給付が停止された。

「第一段階」は担当アドバイザーの下で、必要なら簡単な職業訓練を受け、求職活動を続ける。プログラム開始から4カ月以内に就職できない場合は「第二段階」に進み、「全日制の教育・訓練」「雇用促進補助金付きの雇用（週1日の職業訓練付き）」「6カ月のボランティアの仕事（同）」「6カ月の環境タスクフォースでの仕事（同）」のいずれかを選択する。それでも就職できない場合は「最終段階」に進み、アドバイザーからさらなる支援を受けることになる。――北欧やオランダなどでも、失業保険給付は同様の就労プログラムとセットになっている。

「福祉から雇用へ」を掲げる積極的雇用政策は、どの程度効果があったのか。OECD諸国の事例を対象とした2001年のレビューでは、以下の4つのことがわかった。[65]

①職業訓練は、職場復帰を図る女性に有効であり、低学歴の男性や高齢の労働者には有効でない。

②政府部門による直接雇用は長期的にはあまり有効でない。民間の雇用者に対する雇用補助は、長期失業者や職場復帰を図る女性には有効だった。

③若年向けの雇用政策（雇用補助金、職業訓練、雇用機会創出）は一般的に有効ではない。

④公的職業紹介は、ほとんどの失業者、とくに女性に対して有効だった。

男の失業者とシングルマザーの母集団はちがう

ここからいえるのは、積極的雇用政策は女性の失業者に対しては効果的に機能するが、それ以外の失業者（低学歴の男性や高齢者）にはあまり役に立たないらしいことだ。ここでは母子家庭かそうでないかを区別していないが、彼女たちの多くがシングルマザーだと考えれば、このことは母集団のちがいで説明できるだろう。

母子家庭の貧困というのは、子どもを産んだあとに離婚するか、未婚のまま出産した女性の失業問題だ。ある男性と出会って幸福な家庭を築けるか、破綻するかは事前にはわからないから、子どもを産んだすべての女性が母子家庭になるリスクを抱えている。子どもを抱えて失業した女性の多くはたまたま運が悪かっただけで、その母集団はふつうの女性なのだ。

母子家庭の困難は仕事と子育ての両立で、求職活動も仕事に役立つスキルの習得もじゅうぶんにできない。そこで無料の保育などで子育ての負担を軽減し、適切な職業訓練を行なえば、貧困に陥っている母子家庭の母親は、母集団である働く女性たちと同じレベルの仕事をこなせるようになるだろう。

それに対して「（長期に）失業している男性」は母集団（男性の平均）とはかなり異な

っている。学歴、資格、経験、才能など、労働市場で評価されるなんらかの要素をもっている者は働いているだろうから、必然的に「それ以外の男性」の集団になる。これが女性とちがって、職業訓練も職業紹介も役に立たない理由だろう。

ここでいいたいのは、「貧しいひとたち」のグループはそれぞれ異なっているということだ。一人で子どもを育てている女性は母集団（ふつうの女性）と重なっているが、男性はそうではない。日本の場合、この単純な事実を無視して、シングルマザーを男性や高齢の失業者と「同じ」と見なすことが、極端な貧困率の高さに結びついているのではないだろうか。

だとしたら効果的な貧困対策は、生活保護から母子家庭を切り離し、シングルマザー向けの適切な生活・就労支援をすることだろう。これで貧困に苦しむ母親や子どもたちが救われるだけでなく、生活保護受給者が納税者に変わって社会全体も利益を得られる。本書は経済政策を論じるものではないが、これは重要だと思うのであえて述べておく。

コロナでわかった「日本の敗戦」

新型コロナ禍で収入が減ったひとたちを支援するため、安倍政権は約1000万世帯への30万円給付をいったんは決めたが、政権からの離脱も辞さないという公明党からの強力な要請によって、収入の減らない年金受給者などを含む一律10万円の特別定額給付金を配ることになった。その後の経済データによって、低所得層を除いて給付金のほとんどが貯蓄に回ったことがわかっているが、貧しいひとたちが受け取るはずだった20万円を奪い取り、支援の必要がないひとたちにも「不安だろうから」と10万円をばらまく政策に自称「リベラル」が諸手をあげて賛成したことの是非はここでは置いておこう。

この大盤振る舞いになんらかの意味があるとしたら、2001年の「e-Japan重点計画」で「世界最高水準」の電子政府を目指すと高らかに宣言した日本の現実が白日の下にさらされたことだろう。

一律10万円の特別給付金では、マイナンバーカードを使うオンライン申請で混乱が相次ぎ、1カ月で40を超える自治体が受付を取りやめ手作業に戻った。申請者の入力ミスや二重申請をチェックする基本的な機能がなく、オンラインでの申請が正しいかを目視で確認するほかなかったからだという。

それ以外でも、雇用調整助成金のオンライン申請システムは、申請者の名前や電話番号など個人情報を他の申請者が閲覧できてしまうという信じられない不具合が見つかり、3カ月ちかく稼働が止まった。感染抑制の切り札とされた「接触確認アプリCOCOA」では、陽性者と接触しても通知されない致命的な欠陥が4カ月も放置され、影響は利用者の3割に及んだ。

平井卓也デジタル改革相は、この惨状を受けて、「日本ほどの通信インフラを持たない国がITで（コロナ対策の）成果を上げたのに、日本は過去のインフラ投資やIT戦略が全く役に立たなかった。「敗戦」以外の何物でもありません」と述べている。[66]

それに対してイギリスでは、企業が従業員別の給与を支払日ごとにオンラインなどで報告する「即時情報（RTI）」と呼ばれるシステムがあり、これを利用して、収入が減った対象者に支援金請求の案内を電子メールで送っている。

給付対象者は、メールで指示されたリンクからオンラインの申請画面に入り、国民保険番号などを入力すると、支給額の概算が自動的に示される。請求に必要な時間は5分ほどで、申請後、登録している口座に6営業日以内に支援金が振り込まれる。これによって、休業を強いられた自営業者や従業員に平時の所得の80%が補塡されたという。[67]

コロナ禍の経済的な影響は業種によって異なり、飲食店や旅行業など大きな打撃を受けたところもあれば、ITや流通業では逆に売上が増えたところもある。当然のことながら、政府が支援すべきは困窮しているひとたちで、消費性向の高い低所得者層は給付金を生活費に充てるから経済の活性化にもつながる。イギリスの洗練されたシステムと日本の「ばらまき」を比べれば、どちらが優れているかは考えるまでもないだろう。

デジタル通貨を使った「負の所得税」

生活保護など従来の福祉制度は、誰が正当な受給対象者なのかの選別が困難で、申請者の収入・資産だけでなく親族の扶養能力まで調べる「ミーンズテスト（資力調査）」が不可欠とされている。これが生活困窮者に申請をためらわせ、多くの悲劇を引き起こしてきたとして、「無条件一律給付」のUBIに人気が集まった。だが、マイナンバーによって行政がリアルタイムに銀行口座の入出金を把握できれば、一定以下の所得を対象に納税額のマイナス分を自動的に現金給付することが可能になる。

代表的なリバタリアン（新自由主義）の経済学者であるミルトン・フリードマンは、政府の介入をことごとく否定したが、ほぼ唯一の例外が「負の所得税」だ。この提案では、税金はかからないが給付も受け取れない「基準所得」を（例えば）年収300万円とし、負の所得税率を50％とすると、年収200万円だったひとはマイナス100万円の半分、50万円の給付を受ける。所得がゼロだったひとは、負の課税所得が300万円になるので、その半分の150万円が支給される。

負の所得税の特徴は、UBIとちがって就労意欲をなくさないことだ。年収300万円以下なら、すこしでも働けば収入の全額が自分のものになる（負の所得税の給付は減る）。基準所得を超えれば当初は低率の所得税がかかるが、それでも仕事をすればその分だけゆたかになれる。なによりも生活保護とちがって、負の所得税の申告は「労働者」として認められることになる。

負の所得税はミーンズテストが不要な効率的な福祉政策として経済学者の人気が高く、アメリカ（勤労所得税額控除：EITC）のほか、イギリス、フランス、オランダ、スウェーデン、カナダ、ニュージーランド、韓国など10カ国以上で部分的に導入されている。

バイデン政権は2021年7月から、子どものいる世帯に「負の所得税」による毎月一定額の給付を始めると発表した。対象となるのは世帯所得15万ドル（約1500万円）以下の家庭で、5歳までの子どもに最大月300ドル（約3万円）、17歳までに最大月250ドル（約2万5000円）が給付される。これを拡張すれば、半世紀前にフリードマンが唱えたのとまったく同じ制度になる。

これまで各国が負の所得税の全面的な導入に二の足を踏んでいたのは、申告をごまかしたり、資産を隠して受給するモラルハザードの不安があるからだ。アメリカでは、EITCの不正請求を調査するために税務当局に大きな負担がかかっているという。だがこの問題は、テクノロジーによって解決可能だ。

中央銀行がブロックチェーンを使ったデジタル通貨を発行し、現金を廃止すれば、国内の経済取引をリアルタイムで把握するだけでなく、預金や株式・債券などの金融資産、不動産など固定資産の時価評価なども可能になる。これなら不正申告によって給付を受けることは不可能になり、収入が少なくても資産の多い高齢者などを給付対象から外す一方で、低年金の高齢者を効率的に支援できる。遺産相続などで大きな所得があった場合は、過去に給付した額を差し引くことも可能だろう。

このようなデジタルインフラが整えば（技術的にはいますぐにでもできる）、コロナ禍や自然災害による経済的な困窮だけでなく、国が定めた貧困ラインを下まわるひとに自動的に現金給付しても「不公平」との不満はなくなるのではないか。逆にいえば、ＵＢＩはこうした洗練されたテクノロジーがない時代に考案された素朴な理想論なのだ。

合理的な選択に誘導する「ナッジ」

古来、自分の手でユートピアをつくろうとした者は多いが、ナチスのホロコースト、収容所国家と化したソ連、数千万人の餓死者を生んだ毛沢東の大躍進政策などを挙げるまでもなく、その結果は悲惨きわまりないものばかりだ。ベーシックインカムやＭＭＴ、超富裕税など、左派ポピュリズムの理想論がどことなく胡散臭いのは、過去のユートピア思想と共通する〝におい〟がするからだろう。

それに対していま、まったく新しい種類のユートピア思想が台頭しつつある。脳科学や進化心理学の発展、コンピュータをはじめとするテクノロジーの爆発的な進歩によって、人間の不合理性を前提にしたうえで、それにもかかわらず社会が合理的に機能するよう「デザイン」することが可能になってきたのだ。

ナッジ(nudge)は「そっと肘で突く」ことで、「それとなく誘導する」という意味に使われるようになった。行動経済学者のリチャード・セイラーと法学者のキャス・サンスティーンは、自由な選択の機会を残したまま、よりよい選択をする傾向を高めるような工夫を「リバタリアン・パターナリズム(自由主義者のおせっかい)」と名づけて、いまでは欧米を中心に経済・社会政策に大きな影響を与えるまでになっている。[68]

ナッジの例としては、カフェテリア形式の学校の食堂がよく挙げられる。フライドポテトのような高カロリーで栄養価の低い料理と、サラダのような低カロリーで栄養バランスのよい料理があった場合、フライドポテトを禁止してサラダを食べさせれば健康は改善するだろうが、これでは生徒の自由な選択を奪っている。それに対して、サラダを手に取りやすいところに、フライドポテトを取りにくいところに置けば、生徒たちはこの「デザイン」によって、(無意識に)健康にいい料理をたくさん食べるようになるだろう。

このようにナッジでは、政府がパターナリスティック(保護者的)にふるまい、国民がより合理的な選択や行動をするように社会をデザインする。これは中国の統制社会に似ているように思えるかもしれないが、それ以外の選択をする「自由」の余地がつねに残されていることで、リベラリズムの価値を守ることができる(とされている)[69]。

ナッジの活用でもっとも有名なのがイギリスの行動洞察チーム(BIT:Behavioral Insights Team)で、臓器提供者リストへの登録や年金プランの自動加入のほか、税金の督促状に社会規範ナッジ(「あなたがお住まいの地域では、すでに10人のうち9人は納税済みです」)を使って大きな成功を収めた。その一方で、新型コロナの感染抑制でさまざまな提言を行なったと報じられたが、イギリスは死者12万8000人(日本は1万2000人/2021年6月時点)という大きな被害を出しており、強制をともなわないナッジの限界も示したようだ。

社会を合理的に設計する「メカニカル・デザイン」

ナッジはひとびとの特定の選択に(それとなく)働きかけるが、メカニカル・デザインでは社会や市場を合理的に「設計」しようとする。こちらの代表は電波(周波数)オークションで、有限の資源を政府が裁量で分配するのではなく、市場原理を活用して、もっとも高い価格で入札した業者に任せるべきだとする。

若手経済学者のグレン・ワイルは、法学者のエリック・ポズナーとの共著『ラディカル・マーケット　脱・私有財産の世紀』で、「市場原理を徹底することで私的所有権を否定し、共同体（コミューン）を再生する」というきわめてラディカルなメカニカル・デザインを提唱している。[70]

ワイルが提案する「共同所有自己申告税（COST：common ownership self-assessed tax）」では、すべての私有財産に定率の税（富のCOST）をかける。

現代美術でもっとも人気のあるバンクシーは、商業主義を批判しながら、その作品はとてつもない値段で取引されている。2021年3月にクリスティーズに出品された「Game Changer（ゲームチェンジャー）」の落札額は16億7580万ポンド=約25億円だったが、「それだけの芸術的価値がある」というひとも、「たんなるアートバブル」と見なすひともいるだろう。

だが（ワイルの提案にしたがって）COSTの税率を7%とするならば、この作品を落札した美術愛好家は、毎年1億7500万円（25億円×7％）を国庫に納めなくてはならない。逆にいえば、バンクシーの絵を自宅の居間に飾るのに、これだけのコストを払う価値があると思うひとだけが、この値段で落札するのだ。

このようにして、「バンクシーの作品にはたして価値はあるのか」の議論は意味を失う。毎年2億円ちかくを支払うのなら、それに相応する価値があるのは間違いない。

これは、私的に所有されるすべての美術品・工芸品にあてはまる。もちろん、そんなCOSTは払えないという所有者はたくさんいるだろうが、その場合は美術館・博物館に寄贈すればいい。

ボルドーやブルゴーニュのワインには1本数百万円するものもある。だがCOSTの世界では、ワインコレクターはその価値の7％を毎年支払わなければならない。この場合、税を逃れるもっともかんたんな方法は、その年度内に飲んでしまうことだ。

この単純な例からわかるように、私的所有物にCOSTが課されると富の概念が変わり、コレクションは意味を失う。あらゆるモノは「保有する価値」ではなく「使用する価値」だけで判断されることになるのだ。

市場原理から「共産主義」に至る道

ＣＯＳＴの世界では、私有財産制が否定されるわけではないが、富の保有にコストがかかることで、やがて「所有」から「レンタル」へと変わっていく。不動産取引では、ひとびとは所有権を購入するというよりも、所有によっていくらのＣＯＳＴを支払うかを選択基準にするようになるだろう。

これは自由市場を維持したまま、不動産が国家（共同）所有になって、借主が賃料を支払うのと同じだ。そこではどのようなことが起きるのか、あくまでも私の理解だが、ちょっと素描してみよう。

子どもが私立中学校に受かって、学校の近くに住み替えたいとする。パソコンの画面に希望する地区や間取り、ＣＯＳＴなどの基本情報を入力すると、ＡＩがあなたに合ったマンションや一戸建てのリストを抽出して表示する。そのＣＯＳＴが月額５万円だとして、あなたが「ＯＫ」のボタンをクリックすると、そこに住んでいたひとは無条件でその家をあなたに売り渡して出て行くことになる（実際には１カ月程度の転居期間が与えられる）。

こうしてあなたは、希望の物件に引っ越すことができた。ここで当然、次のような疑問が浮かぶだろう。「引っ越してすぐに、他の希望者から購入申請されたらどうなるのか？」

だが、そんなことは起こらない。

新しい住居が気に入ったら、AIに長期居住のためのCOST（家の評価額）を算出してもらえばいい。それが月額5万5000円であれば、5000円の超過COSTを支払っているかぎり、検索結果にあなたの家が表示されることはない。相場よりすこし割高のCOSTを支払うことで、あなたはずっといまのところに住みつづけることができる。

子どもが中学を卒業し、転居してもかまわなくなれば、AIに最安値のCOSTを算出させればいい。これによってCOSTを（たとえば月額5000円）引き下げることができるが、購入希望者がいれば他の物件に転居しなければならない。こうして、あなたよりもその家に住むことに高い価値をもつひとに不動産が譲渡されていく。

このように考えれば、COSTが不動産市場を劇的に効率化させることがわかるだろう。すべてのひとが、予算に応じて、もっとも便利なところに気軽に住み替えることができるのだ。

ＣＯＳＴの特徴は、課税されるのがモノであり、「ひととひとのつながり」には課税されないことだ。ブランドなどモノへの過剰な愛着にペナルティが課されることで、ひとびとは家族や恋人との交流、ライブハウスやコンサート、旅行などの「（無税の）体験」により大きな価値を感じるようになるだろう。

それに加えて、ＣＯＳＴを全面的に導入すれば、社会の富を毎年何兆ドルも増やすことができる。それを国民に分配すると、ＵＢＩに似た制度になる。経済が成長すると、ＣＯＳＴが生み出す歳入が再分配される。他人の繁栄から全員が恩恵を受ける世界では社会的信頼が育まれ、共同体（コミューン）への愛着が生まれ、市民的関与が促される。

私的所有権を「シェア」へと誘導するこのメカニカル・デザインでは、市場原理を徹底することで、自由な社会を維持したまま「共産主義（コミュニズム）」に至るのだ。

日本では一部でマルクスや『資本論』の再評価が熱心に行なわれているが、１００年も前の思想家が考えたことが現在の高度化・グローバル化した知識社会／資本主義経済にそのままあてはまるわけがない。それよりも、最先端の学問的知見とテクノロジーを駆使して「新しい共産主義」をデザインした方がずっと「夢」があるのではないだろうか。

なお、現代社会においては権力の正統性を与えられるのは民主的な選挙だけだが（中国共産党はこの正統性が欠けているので「強権」に走らざるを得ない）、リベラリズム（自由主義）が必然的にデモクラシー（民主政）と結びつくわけではない。リベラル化の本質は「自分らしく生きたい」なのだから、より効率的にその夢を実現する制度がメカニカル・デザインできれば（ＡＩによる統治など）、ひとびとがデモクラシーを捨て去る日がきても不思議はない。

56 李龍徳『あなたが私を竹槍で突き殺す前に』河出書房新社
57 アニー・ローリー『みんなにお金を配ったら　ベーシックインカムは世界でどう議論されているか？』みすず書房
58 アビジット・Ｖ・バナジー、エステル・デュフロ『絶望を希望に変える経済学　社会の重大問題をどう解決するか』日本経済新聞出版
59 Ｌ・ランダル・レイ『ＭＭＴ現代貨幣理論入門』東洋経済新報社、ステファニー・ケルトン『財政赤字の神話　ＭＭＴと国民のための経済の誕生』早川書房、ジェラルド・Ａ・エプシュタイン『ＭＭＴは何が間違いなのか？　進歩主義的なマクロ経済政策の可能性』東洋経済新報社
60 レイ、前掲書。

61 Pavlina R. Tcherneva（2018）The Job Guarantee: Design, Jobs, and Implementation, *Levy Economics Institute of Bard College Working Paper No.902*

62 Stephanie Kelton（2019）The Wealthy Are Victims of Their Own Propaganda, *Bloomberg Opinion*

63 エマニュエル・サエズ、ガブリエル・ズックマン『つくられた格差　不公平税制が生んだ所得の不平等』光文社

64 平成28年度「全国ひとり親世帯等調査結果報告」

65 阿部彩、國枝繁樹、鈴木亘、林正義『生活保護の経済分析』東京大学出版会

66 日経コンピュータ『なぜデジタル政府は失敗し続けるのか　消えた年金からコロナ対策まで』日経ＢＰ

67 「英、コロナ支援６日で　所得補塡、要請待たず「プッシュ型」個人情報の「一元管理」カギ」日本経済新聞 ２０２０年12月４日

68 リチャード・セイラー、キャス・サンスティーン『実践 行動経済学』日経ＢＰ

69 キャス・サンスティーン『ナッジで、人を動かす　行動経済学の時代に政策はどうあるべきか』ＮＴＴ出版

70 エリック・Ａ・ポズナー、Ｅ・グレン・ワイル『ラディカル・マーケット　脱・私有財産の世紀』東洋経済新報社

エピローグ「評判格差社会」という無理ゲー

自分よりすぐれたひとと比べるのが「上方比較」、劣ったひとと比べるのが「下方比較」だ。「上方比較の積極的な効果は希望や刺激であり、消極的な効果は嫉妬心」「下方比較の積極的な効果は感謝であり、消極的な効果は軽蔑」などといわれる。

脳の画像化を用いて上方比較および下方比較と関係する部位や神経メカニズムを調べた研究がある。それによると、下方比較では腹内側前頭前皮質が活発化し、上方比較では前帯状皮質背側部の活動が増加することがわかった。前者は金銭的報酬を考えるときに活発になり、後者は身体的苦痛や金銭的損失のような負の出来事を処理する部位だ。

これをわかりやすくいうと、わたしたちは上方比較を損（罰）、下方比較を得（報酬）

と感じているらしい。[71]

あらゆる生き物は、損失＝苦痛を避けて利益＝報酬を獲得する強力なエンジン（モチベーション）を脳（中枢神経系）に埋め込まれている。意識しているかどうかにかかわらず、わたしたちは、自分より恵まれたものを妬んでその地位から引きずり下ろそうとし、劣った者を蔑んでいい気分になろうとするよう進化の過程で「設計」されている。

あらゆる社会問題の根底に、この生物学的メカニズムがあるのだろう。

原理的に解決不可能な問題

「経済格差が拡大し、社会が分断されていく」と多くのひとが憂いている。だがここに「希望」がないわけではない。

「経済格差」というのは、突き詰めれば「貨幣の分配の不均衡」のことだ。だとしたら、（さまざまな困難はあるだろうが）公正な分配に変えることで問題は解決する。これが、リフレ政策やＵＢＩ、ＭＭＴ、超富裕税など、さまざまな野心的な（あるいは奇矯な）改革案が熱烈に唱えられ、現われては消えていく理由だろう。

ある問題が原理的に「解決可能」であれば、その解を誰よりも先に発見し、主張することはものすごく気分がいい。こうして知的な（あるいは自分を「知的」だと思っている）ひとたちは、世界を変えることに夢中になる。それは社会のなかでの地位を引き上げ、自尊心を高める（無意識による）必死の努力なのだ。

しかし、ものすごく深刻な問題が目の前にあったとしても、それが原理的に「解決不可能」だったらどうだろう？　そんなものにかかわりあってもなんの意味もないのだから、ほとんどのひとは興味も関心も示さないはずだ。これから述べるのはそのような「問題」だ。

それは、次のひと言でまとめられる。

お金は分配できるが、評判を分配することはできない。

民主的な手続きによるのか、〝超絶ＡＩ〟に任せるのかは別として、将来どこかの時点で、富の不均衡な分布は解消されるだろう。なぜなら、「お金は分配できる」から。

一部の「リベラル」なひとたちは、これによって人類が理想としてきたユートピアが到来すると考えている。だが残念ながら、そのようなことにはならないだろう。

テクノロジーの進歩で「とてつもなくゆたかな世界」が実現し（温暖化問題もなんらかの方法で解決され）、経済格差がなくなったとしよう。労働はロボットが行ない、世界のすべてのひとが「健康で文化的」な生活ができるじゅうぶんな貨幣を国家（世界政府）から分配され、働かなくても生きていけるようになる。

このような〝人類の夢〟が実現したら、なにが起きるのか。それが「評判格差社会」への移行だ。

レイプができないようにデザインされた進化

中南米の熱帯雨林に住むマイコドリは、特徴的な求愛行動（ディスプレイ）で知られている。オスたちはレックという社交場で、鮮やかな体色を見せたり、すばやいステップで枝の上を後ずさりする「ムーンウォーク」をしたり、翼や尾羽を開いたり閉じたりする。

繁殖期間中、メスはこうしたレックを訪れてオスたちの「演技」を鑑賞し、そのなかから一羽を繁殖相手に選ぶ。

メスは交尾を終えると、巣をつくってタマゴを2つ産み、抱卵やヒナの世話をオスの手助けなしに行なう。生殖に対するオスの寄与は精子を提供するだけで、そのためにはメスに選ばれなくてはならない。

より興味深いのは、やはり熱帯に住むニワシドリ（アズマヤドリ）で、オスが求愛用の建造物をつくる。アオアズマヤドリは空き地に枯れた小枝やわらを垂直に立て、中央に狭い通路（アベニュー）をつくり、入口を果実や花、貝殻や白い石などで飾り立てる。

繁殖期間中のメスは、魅力的なあずまやを見つけると、アベニュー（中央通路）に歩いて入り、向こう側にいるオスを見る。するとオスは、翼や尾羽をふくらませたり、電子音のような鳴き声をあげたりする精力的な誇示行動をする。

メスはオスを気に入ると、身をかがめて交尾姿勢をとる。するとオスは、反対側からあずまやに入り、メスの背中に乗って交尾する。

ここで驚かされるのは、あずまやの中央通路が狭く、オスは強引にメスと交尾することができないようになっていることだ。メスにその気がなければ、オスが交尾しようとする前に、さっさと飛び去ることができる。セクシャルハラスメント（レイプ）が不可能なように生殖行動が「デザイン」されているのだ。[72]

なぜこのような特徴的な性愛行動が進化したかというと、マイコドリやニワシドリの棲む熱帯雨林にはエサとなる果実が豊富で、なおかつ天敵がいないからのようだ。生存（食料と安全）が確保されると、オスとメスの性愛の非対称性が純化され、オスの「競争」とメスの「選択」がもっとも合理的・効率的に行なわれるようになるのだ。

わたしたちがこれから向かっていく（とされる）「とてつもなくゆたかな社会」では、女は子育てのために男の手を借りる必要がなくなるだろう。これは熱帯の鳥たちと同じ環境なので、必然的に、男の「競争」と女の「選択」がより明確に表われてくることになる。

すなわち、「リベラル」が目指すユートピアでは、モテ／非モテ格差がかぎりなく拡大していくのだ。

「生まれてこなければよかった」という思想

ゴリラは一夫多妻の類人猿で、オスは複数のメスと子どもたちでハーレムをつくる。だがマイコドリやニワシドリの「一夫多妻」はこれとはまったくちがう。「ゆたかな熱帯」では生存への脅威がないため、メスは子育てにオスを必要とせず、オスは子どもの養育から解放される。その結果、オスがすべきことは求愛行動だけになり、メスはそれを鑑賞し、気に入ったオスを選択する。

このような「純粋な一夫多妻」では、魅力的なディスプレイのできるごく一部のオスが大半のメスと交尾し、そのことによってさらに特徴的な求愛行動が進化していく。これが「進化の軍拡競争」で、クジャクの尾羽と同じように、マイコドリやニワシドリのディスプレイも生存の限界まで（無意味に）拡張していく。

わたしたちの世界では、社会的・経済的な地位が高かったり、音楽や芸能・芸術の世界で大きな評判をもつような「強い性的シグナリング」を発する男は「アルファ」と呼ばれる。社会がますますゆたかになり、子育てに男手が必要なくなるか、そもそも女が子どもを産まなくなれば（人工子宮で子どもが「生産」されるようになるかもしれない）、進化のメカニズムによって、ごく一部のアルファの男が多くの女を独占するようになるだろう。

もちろん、ヒトとトリは同じではない。そのちがいはおそらく、女の性愛に現われるはずだ。

マイコドリやニワシドリでは、メスの役割は「選択」することだけなので、美しい体色も、高度な建築技術も必要ない。すなわち、「美」と「芸術」はオスが独占している。だがヒトの性愛では、女も稀少なアルファの男をめぐってはげしい「美の競争」に放り込まれる。フェミニストは認めたがらないかもしれないが、思春期以降の女性にとっては、より大きなエロティック・キャピタル（エロス資本）をもつことが（女集団の）ヒエラルキーの上位に立ち、承認欲求を満たして「自己実現」する手段なのだ。

この競争がどれほど強力で残酷かは、拒食症で生命を失うたくさんの若い女性がいることからわかる。生き物にとってもっとも重要なのは「生存（食べて生き延びること）」だが、「美しくなければならない」という社会的・文化的圧力はときに生存本能をも圧倒してしまうのだ。

こうした「美の呪縛」は、近年では「ルッキズム」と呼ばれている。社会がよりゆたかになり、誰もがより「自分らしく」生きられるようになれば、わたしたちはますます「外見の魅力」にとらわれるようになっていく。

とはいえ、男女の性愛の非対称性によって、男の競争は女の競争よりもさらにはげしいものになるはずだ。こうして多くの男が「性愛」から排除され、あるいは自ら離脱していくのだろう。

南アフリカの哲学者デイヴィッド・ベネターは、「この世に生まれてくることはつねに害悪であり、新しく人間を生み出すことは反道徳的な行為である」とする「反出生主義」を唱えている。[73]「生まれてこなければよかった」というこのペシミスティックな思想が近年注目を集めているのも、人生を「無理ゲー」と考えるひとが世界的に増えているからではないだろうか。

世界は「ばらばら」になるように物理的に決定されている

社会がゆたかになるにつれて、ひとびとは「自分らしく」生きたいと思うようになり、共同体は解体されていく。だとしたらその流れを押しとどめ、共同体に包摂された幸福な生活を取り戻すべきではないのか。

このように主張するのが共同体主義者（コミュニタリアン）だが、ルーマニア生まれの異端の物理学者エイドリアン・ベジャンは、それは原理的に不可能だという。なぜなら、この世界は「ばらばら」になるように物理法則によって決定されているから。これが「コンストラクタル」理論だ。[74]

ベノワ・マンデルブロは、世界の根本法則はベキ分布（ロングテール）の「複雑系のスモールワールド」だとして、これを「フラクタル」と名づけた。

マンデルブロはフラクタルの例として、雪の結晶、カリフラワー、リアス式海岸などをあげ、形状がものすごく複雑なものにも、よく見ると一定の法則（スケール不変性）があることを指摘した。これはあくまでも私の理解だが、ベジャンのコンストラクタルは、フラクタルに時間軸を導入し、その「生成」すなわち過去から未来への「流れ」を語る。

この驚くべき理論では、人間と機械、生物と無生物に本質的なちがいはなく、すべては「流れ」のなかにある。そこには、より速く、より遠くへ、よりなめらかに流れるという「目的」があるだけで、よりよく流れるものは「よりよい」ものなのだ。

生命も非生命も、この世界のすべてのものは「よりなめらかに流れる」という物理法則に従っており、その結果、ごく自然にベキ分布（フラクタル）が生成・進化する。生物の進化にも、地球や宇宙の歴史（ビッグヒストリー）にも、目的と価値、すなわち「意思」があるのだ。

コンストラクタルの法則は、当然、経済にも適用できる。資本やモノ・サービス、あるいは労働者が自由に国境を越えるグローバル化が進むと、GAFAのような「独占」企業やビル・ゲイツのような超富裕層が誕生するが、それは物理法則だ。生き物が環境に適応してより複雑に進化していくように、テクノロジーの進歩とともに貨幣も知識も人間もより「なめらかに流れる」ようになって、社会はより複雑に「進化」していく。

こうしてベジャンは、生き物から宇宙まであらゆる存在は大きな「流れ＝生命」のなかにあり、個体の誕生や死にすら意味はないというニューエイジ的な結論に至る。その当否は私にはわからないが、この魅力的な理論によれば、経済格差や評判格差の拡大（ロングテール化）は物理法則、すなわち避けられない「運命」になる。

エリート層と無用者階級

エイドリアン・ベジャンのコンストラクタル理論によれば、社会が「よりなめらかに」

「より複雑に」「よりばらばら」になっていくのは〝物理法則〟なので、これを止めることは原理的に不可能だ。この巨大な潮流はテクノロジーの発展と、それが生み出す「とてつもないゆたかさ」、そしてなによりも「自分らしく生きたい」「幸せになりたい」というひとびとの欲望によってさらに勢いを増している。

将来、テクノロジーの指数関数的（エクスポネンシャル）な高度化によって「技術」と「魔術」の区別がつかなくなり、地球上のすべてのひとに「ゆたかさ」が分配されるかもしれない。そのとき社会は、より多くの貨幣を獲得しようとする「資本主義経済」から、より多くの評判を獲得しようとする「評判経済」へと変わることになる。

評判の分布は、富の分布よりもはるかにロングテール構造になりやすく、そのうえ貨幣とちがって再分配が困難だ。これがわたしたちを待ち受ける未来だとすれば、それは選ばれた少数者にとってはユートピアで、それ以外の者は「人間廃棄物@ジークムント・バウマン」にされるディストピアだろう。

これはけっして奇矯な説ではなく、『サピエンス全史』が世界的ベストセラーになったユヴァル・ノア・ハラリは、社会が「エリート層」と「無用者階級」に分断される一種のテクノロジー・ハルマゲドン説を唱えている。今後、IT（情報テクノロジー）とバイオテクノロジーが指数関数的に高度化していくにつれ、それを自在に利用できる一部のエリート層に権力が集中し、ビッグデータを使ったアルゴリズムによる「デジタル独裁政権」が樹立される。エリートたちは遺伝子編集技術で知能や身体能力を強化したデザイナーズベイビーをつくり、この「ホモ・デウス（神人）」たちが〝デザインされていない一般人類〟とは別の社会を形成していくのだという。[75]

この暗鬱な未来予測を覆す希望はないのだろうか。

ピーター・ディアマンディスはシンギュラリティ大学創立者で、最先端のテクノロジーを使ったさまざまなコンテストを行なうXプライズ財団CEOでもあり、「アメリカを代表するビジョナリーの一人」とされる。そのディアマンディスは、量子コンピュータ、人工知能（AI）、ロボティクス、ナノテクノロジー、バイオテクノロジー、材料科学、ネットワーク、センサー、3Dプリンティング、拡張現実（AR）、仮想現実（VR）、ブロックチェーンなど、テクノロジーのさまざまな領域で指数関数的な爆発的進歩が起きるだけでなく、これらのテクノロジーが融合（コンバージェンス）することで、10年後にはサイエンス・フィクションが「サイエンス・ファクト」になると予想している。[76]

人間の脳はローカル（地域的）でリニアな環境で進化してきたが、「われわれが今生きている世界はグローバルでエクスポネンシャルだ」とディアマンディスはいう。シンギュラリティ（技術的特異点）を唱える未来学者レイ・カーツワイルは、「われわれはこれから100年で、2万年分の技術変化を経験することになる」と述べる。「これからの1世紀で、農業の誕生からインターネットの誕生までを2度繰り返すくらいの変化が起こる」のだ。

知能を強化するテクノロジー

ディアマンディスは、いまや「5つの大移動」が始まりつつあるという。気候変動による7億人の移住、都市への大規模な移住、ヴァーチャル世界（仮想現実、拡張現実）への移住、宇宙への移住、そして「個人の意識」のクラウドへの移行だ。

この「加速主義（テクノロジー至上主義）」によれば、すべての社会問題は「エクスポネンシャルな技術」によって解決される。だとしたら、「高学歴／低学歴」に分断された社会をどうすればいいのだろうか。

ディアマンディスは、もはや「教育」にはなんの期待もかけていない。仕事を失ったトランプ支持の白人労働者をいくら「再教育」しても、プログラマーとしてシリコンバレーで働けるようにはならない。

だったら、脳に直接働きかけて知能を強化したらどうだろう。

経頭蓋直流電気刺激法（tDCS）で脳を人工的にフロー状態にすると、通常であれば正答率は5％に満たないテストで被験者の40％が問題を解くことに成功した。脳刺激療法で学習や記憶保持にかかわる神経回路を刺激することで、記憶能力を30％増強できるとの研究もある。

だが現在行なわれている脳深部刺激法は、「小型トラックぐらいの大きさの指で、チャイコフスキーのピアノ協奏曲1番を弾こうとするようなもの」だという。電極を外科手術で埋め込むと、脳がそれを異物と認識するため、相当な薬物投与が必要になる問題もある。

そこで、エレクトロニクス材料を使ってナノスケールのメタルメッシュ（金網）をつくり、これをシリンダーの中に詰め、脳内に注入する技術が開発されている。マウスの海馬にこのシリンダーを注射したところ、1時間も経たずにメッシュは元の形に広がり、周辺組織へのダメージはいっさいなく、マウスの脳の状態が手に取るようにわかるようになった。マウスの免疫系はメッシュを異物として攻撃するのではなく、ニューロンがそこに取りついて増殖しはじめたのだ。

これがブレイン・コンピュータ・インターフェイス（BCI）で、「バイオテクノロジー、ナノテクノロジー、材料科学などほぼすべてのテクノロジーの交錯点」とされる。BCIによって脳とインターネットを接続できるようになれば、思考がそのまま相手につながるテレパシーが可能になる。

機械生命体ボーグのようになっていく

これは夢物語ではなく、EEG（脳波図）をベースとした旧式のBCIでも、フランスとインドにいる被験者はメッセージに相当する光の点滅を正確に読み取ることができた。これは2014年の実験だが、2016年にはEEGヘッドセットを使ってテレパシーでビデオゲームをプレーし、2018年には頭で考えるだけでドローンを操縦できるようになった。

次のステップは、人間の脳をクラウド経由でシームレスにインターネットにつなぐことだ。これによって、「クラウドベースの集団意識への移行」が可能になる。「真の冒険とは宇宙に出ていくことではなく、自らの心に分け入ること」だとディアマンディスはいう。「自分の脳をクラウドに接続すれば、私たちの処理能力と記憶能力は大幅に高まる。そして少なくとも理論的には、インターネット上で地球上のあらゆる頭脳にアクセスできることになる」。このようにして、全人類がひとつになって思考する「メタ知能」が誕生するのだ。

これはいわば、『スタートレック』に出てくる機械生命体ボーグのようなものだ。すべての人類がヴァーチャル空間でつながり、「超知能」となって融合するなら、もはや一人ひとりの生得的なちがいはなんの意味もなくなり、経済格差や評判格差、モテ／非モテの格差などあらゆる格差は消滅するだろう。

近年の脳科学は、ヒトの脳はコネクトするように「設計」されていると考える。徹底的に社会化された動物であるわたしたちは、実在であれ仮想であれ、あらゆる他者とつながろうとする（だから特攻隊員の魂ともかんたんにつながることができる）。私もあなたも、時空を超えた巨大なネットワークのひとつのノード（結節点）にすぎない。そう考えれば、テクノロジーの終着点が「メタ知能」であるというのは、さほど奇異な主張ではないのかもしれない。

これからの10年でどこまで進むのかはわからないが、テクノロジーの加速をさらに「加速」させることで、いずれは全人類が「ひとつ」になる究極のユートピアが実現する。

——そこには悲しみも苦しみもなく、（たぶん）よろこびもないだろうが。

71 ペーテル・エールディ『ランキング　私たちはなぜ順位が気になるのか？』日本評論社
72 リチャード・O・プラム『美の進化　性選択は人間と動物をどう変えたか』白揚社
73 デイヴィッド・ベネター『生まれてこないほうが良かった　存在してしまうことの害悪』すずさわ書店
74 エイドリアン・ベジャン『流れといのち　万物の進化を支配するコンストラクタル法則』紀伊國屋書店
75 ユヴァル・ノア・ハラリ『ホモ・デウス　テクノロジーとサピエンスの未来』河出書房新社
76 ピーター・ディアマンディス、スティーブン・コトラー『２０３０年　すべてが「加速」する世界に備えよ』NewsPicksパブリッシング

あとがき　才能ある者にとってはユートピア、それ以外にとってはディストピア

めったにないことだが、中学3年生から手紙をもらった。大阪の中高一貫公立校の男子生徒で、卒業レポートを書くために私の著書を読み、「上級国民」「下級国民」の定義を教えてほしいのだという。すこし考えて、次のような返事を書いた。

上級国民　知識社会・評判社会において、「自分らしく生きる」という特権を享受できるひとたち

下級国民「自分らしく生きるべきだ」という社会からの強い圧力を受けながら、そうできないひとたち

これがそのまま本書のコンセプトになった。

ちょうどその頃、20代のライターや編集者と話をする機会があった。ニュースサイトのインタビューで「最近の若者たちは人生を〝無理ゲー〟のように感じているのではないか」と述べたのだが、興味深いことに、2人ともこの言葉が「刺さった」のだという。

私はゲームにはまったくの素人で、この表現はたまたま思いついただけだが、それに強いインパクトがあることを彼らから教えられた。こうして、本書のタイトルが決まった。

クラウス・シュワブは、世界じゅうからリーダーたちを集める「ダボス会議」で知られる世界経済フォーラム（WEF）の創設者だ。シュワブは日本の新聞社のインタビューに答え、コロナ禍を体験した2021年のテーマは「（世界の社会経済システムを考え直す）「グレート・リセット」になるとしてこう語った。[77]

（リセット後は）資本主義という表現はもはや適切ではない。金融緩和でマネーがあふれ、資本の意味は薄れた。いまや成功を導くのはイノベーションを起こす起業家精神や才能で、むしろ「才能主義（Talentism）」と呼びたい。

これからの世界は、（貨幣が支配する）資本主義を脱却し、（評判が支配する）才能主義に変わっていくのだという。「資本主義」では「資本のない者」でも生きていくことはできるが、「才能主義」の世界では「才能のない者」はどうなるのか？　これが私の素朴な疑問だ。

世界は「リベラル化、知識社会化、グローバル化」の巨大な潮流のなかにあると、私は繰り返し述べてきた。資本主義は、「自分らしく生きたい」「より幸せに（ゆたかに）なりたい」という〝夢〟を効率的にかなえる経済制度としてまたたくまに世界じゅうに広がった。その資本主義がいま、ある種の機能不全を起こしているのは確かだろう。

だが資本主義を「脱却」したあとには（もしそのようなことができるとして）、より効率的に〝夢〟をかなえる未来がやってくるだけだ。なぜなら、社会・経済制度がどのように変わろうとも、ヒトの脳に埋め込まれた「欲望」のプログラムは変わらないから。わたしたちは、ものごころついてから死ぬまで、「自分らしく生きる」という呪縛にとらわれ、あがくほかないのだ。

本書で述べたのは、とてもシンプルなことだ。あなたがいまの生活に満足しているとしたら素晴らしいことだが、その幸運は「自分らしく生きる」特権を奪われたひとたちの犠牲のうえに成り立っている。

ひとびとが「自分らしく」生きたいと思い、ばらばらになっていけば、あちこちで利害が衝突し、社会はとてつもなく複雑になっていく。これによって政治は渋滞し、利害調整で行政システムが巨大化し、ひとびとを抑圧する。

「リベラル」を自称するひとたちには受け入れがたいだろうが、リベラル化が引き起こした問題をリベラルな政策によって解決することはできない。すべての〝不都合な事実〟は、「リベラルな社会を目指せば目指すほど生きづらさが増していく」ことを示している。

ヒトの認知能力には限りがあるので、わたしたちは複雑なものを複雑なまま理解することができない。こうして、「なにか邪悪なものが世界を支配している」と考えるようになる。この陰謀思考の標的は、右派では「ディープステイト」、左派では「資本主義」が最近の流行のようだ。

だがどれほどワラ人形に呪詛の言葉を投げつけても、この巨大な潮流をせき止めることはもちろん、流れを変えることすらできないだろう。

それに加えて日本の若者たちは、人類史上未曾有の超高齢社会のなか、増えつづける高齢者を支えるという〝罰ゲーム〟を課せられ、さらには、1世紀（100年）を超えるかもしれない自らの人生をまっとうしなければならない。この状況で「絶望するな」というのは難しいだろう。

それにもかかわらず、きらびやかな世界のなかで、「社会的・経済的に成功し、評判と性愛を獲得する」という困難なゲーム（無理ゲー）を、たった一人で攻略しなければならない。これが「自分らしく生きる」リベラルな社会のルールだ。

わたしたちは、なんとかしてこの「残酷な世界」を生き延びていくほかはない。

2021年6月　橘　玲

77　「資本主義の「リセット」議論を　WEFシュワブ氏21年のダボス会議テーマに」日本経済新聞（電子版）２０２０年6月3日

本書は書き下ろしです。

橘 玲［たちばな・あきら］

1959年生まれ。作家。国際金融小説『マネーロンダリング』『タックスヘイヴン』などのほか、『お金持ちになれる黄金の羽根の拾い方』『幸福の「資本」論』など金融・人生設計に関する著作も多数。『言ってはいけない 残酷すぎる真実』で2017新書大賞受賞。近著に『上級国民／下級国民』『女と男 なぜわかりあえないのか』など。最新刊は『スピリチュアルズ 「わたし」の謎』。

校正／日塔 秀治
図版・DTP／ためのり企画
編集／向山 学

無理ゲー社会

二〇二一年 八月三日 初版第一刷発行
二〇二一年 九月六日 第二刷発行

著者 橘 玲
発行人 鈴木 崇司
発行所 株式会社小学館
〒一〇一-八〇〇一 東京都千代田区一ツ橋二ノ三ノ一
電話 編集：〇三-三二三〇-九三〇二
販売：〇三-五二八一-三五五五

印刷・製本 中央精版印刷株式会社

Printed in Japan ISBN978-4-09-825400-2